毓馨文集

楊俊毓 著

巨流圖書公司印行

目錄

推薦序：以史為鏡，可以知興替；以人為鏡，可以明得失

高雄醫學大學楊俊毓校長，在二〇一八年出版了精彩的《俊逸文集》，以他的生花妙筆以古論今，不僅對當代時事有深入的觀察與見解，並能引用恰當的歷史故事加以闡釋，彰顯研讀歷史的時代意義。他在報章論壇發表的文章，都深獲廣泛回響和好評。這次楊校長彙集二〇一八年到二〇二一年所發表的五十四篇短評，出版新書《毓馨文集》，讓讀者們再次欣賞楊校長對最近時事的論述。

楊校長博學廣識，對於歷史古籍瞭若指掌，更有鑑古論今的智慧。他的文筆流暢如行雲流水，娓娓道來令人不忍釋手。讀者們除了可以體會楊校長對國家事物的認知與社會事件的觀察，同時藉著深入淺出的分享，可以重新認識生活中習以為常的借喻典故。每篇文章讀來如涓涓暖流，細緻而感動人心。希望讀者們在拜讀之餘，能從國家社會的需要，看到自己的責任，勇敢承擔作出貢獻，使臺灣

和世界更美好。

中央研究院院士、前副總統　陳建仁

推薦序：風簷展書讀，古道照顏色

我跟楊俊毓校長的緣分，是從二十年前開始，那時他擔任健康科學院院長。印象中，這位院長每日西裝筆挺，行事謹慎，是當時全校最年輕的學院院長，但在公共衛生及環境流行病學領域的研究上，卻有十分傑出的表現，年紀輕輕，即已受國內、外學術界的肯定。之後，他被歷任校長拔擢為行政一級主管，一路從資訊長到副校長，他共擔任九年副校長，對高等教育校務行政相當熟稔，因此，今年被遴選為校長，是高雄醫學大學創校六十七年以來第一位非醫師出身的校長。

三年前，楊校長出版了他的第一本書《俊逸文集》，對一個從小在國外留學，沒有完整地學好中國歷史的我來說，每次拜讀楊校長的文章都是一個驚豔與學習。每一篇文章都是針對時事，但是又引經據典，讓我體會到古人的智慧，是歷久彌新的。我非常敬佩楊校長以一個科學人的背景，能夠透徹地瞭解歷史，從中國淵博的文化中提出對於現代問題一針見血的精闢見解。行政經驗豐富的楊校長，在一級主管及副校長任內，為學校解決許多大小行政難題，如今想來，應該是因為他飽讀歷史書籍，以史為鏡，擷取教訓，學習古人做人臨事的經驗，作為自己的參考，甚之，吸取古人的智慧，藉以效法的緣故。

楊校長於學術及行政忙碌之餘，仍孜孜不倦地努力筆耕，令人欽佩。正因為這樣，這本文集的出版，才令人感到欣喜與驚喜。這本《毓馨文集》是楊校長過往三年披露於《蘋果網路論壇》的文章，各篇內容豐富，反映時代的脈動，文筆精采生動，字裡行間充溢著對國家社會的關懷，楊校長「心憂天下」的情懷實屬深刻。這本書有古典詩詞的芬芳，有寓言故事的智慧，更有做人處事的箴言，楊校長的文章能成一家之言，難能可貴。相信本書的刊行，一定會給讀者朋友帶來思考與啟迪。希望各位讀者閱讀本書以後都能跟我一樣有很多的收穫！

財團法人私立高雄醫學大學董事長　陳建志

自序

一個月前，不經意地計數自從上一本書《俊逸文集》出版後，又刊登於《蘋果網路論壇》的文章，竟已累積有五十四篇之譜，自覺是到了可以再彙集成冊的時候，趁著難得的中秋連續假期，可以靜下來寫這本書的自序。翻閱前書寫自序的時間，正好是二〇一八年九月二十四日的中秋夜，驀然回首已過三秋，正是「良夜清秋半，空庭皓月圓」的時節，時間的巧合令人稱奇，悠然心會，妙處難與君說。

這本書，定名為《毓馨文集》，這是因為與《俊逸文集》二書並列在一起時，橫看可以呈現我的名字「俊毓」二字。而「毓」字的含義基本上與「育」字相同，有表示生育、養育及培育的意思，筆者從事高等教育人才的栽培工作，迄今已是三十五載，對我而言，這個「毓」字是寓意深刻的。「馨」是香氣可以傳播很遠，也就是我們常說「馨香遠播」的意思。「毓馨」就是期許在杏壇奉獻的所有老師們的芬芳事跡能流傳久遠，更期待本文集的書香可以長遠留傳。

宋代理學家朱熹有一首有名的〈觀書有感〉詩：「半畝方塘一鑑開，天光雲影共徘徊。問渠哪得清如許？為有源頭活水來。」因為上有源源不斷的活水注入，下游的池塘才能流動靈活，不致成為一潭死水。同樣地，我們的心也需要不斷輸入新的靈糧與知識，才不致死板而不知變通。這幾年，我擷取文學歷史中的人物故事用以評析當下社會中發生的人、事、物，我從年輕時即一直努力廣泛地閱讀，以瞭解古人的生活智慧甚至治理天下的理念與智慧，「舊書不厭百回讀，熟讀深知子自知」，已經讀過許多遍的書籍，我仍不厭其煩地反覆閱讀及細細品嚐與尋思體會，很怕自己會「好讀書，而不求甚解」，而在一知半解的情況下誤導了讀者，我總是希望能讓讀者因我的廣博閱讀後寫出的書而增長知識、通曉事理；同時也希望因閱讀本書之後，能讓讀者對我們中國古典文學中的人物故事有更深一層地瞭解。筆者在這二本書的寫作過程中，自己也深深體會到「心常用則活，不用則窒」的真諦。

曹丕曾說：「文章乃經國之大業，不朽之盛事。」古人也以立德、立功、立言為大丈夫的抱負與志業。筆者現在寫的文章，稱不上立言，但總是盡了一個書生表達對目前國家社會的關懷與建議，亦可提供給關心國家世事者的參考。這本書的寫作風格，基本上與《俊逸文集》相似，主要都是針對臺灣社會當時所發生的事件或社會現象，從古書裡找到佐證，引申古書的故事或人物來對照，並結合自己的人生閱歷與經驗，提出個人的看法與建議。「今人不見古時月，今月曾經照古人」，一樣的月光，照耀過古人，照耀著今日，當然也會繼續照耀未來的人們，古人看到的月亮和現在我們看到的月亮是沒有改變的；古人留下的智慧與風範，必然也一樣是他們真實人生中的經驗，正是因為這樣的理解，我的《俊逸文集》問世以來才會引起讀者的共鳴、關注與歡迎。

我將寫作的文章出版，除了答謝讀者們的厚愛以外，更要感恩老天爺對我的保佑，因此《俊逸文集》付梓後，我即把所有版稅全部捐給我服務的高雄醫學大學「起飛圓夢助學專款」，幫助經濟弱勢學生安心就學。隨後亦獲得幫我出版的麗文文化事業機構總經理楊宏文先生的響應，他認為筆者學術研究之餘寫作，長期埋首爬文，版稅卻分文不取而做公益，在感動之餘，他也願意陪我一起做公益，將所售每本書定價的 3% 捐給高雄醫學大學。筆者同時拋磚引玉，邀請認同本人理念的親朋好友一起認購《俊逸文集》來做公益，將每本書定價之 40% 均捐給高醫做「起飛圓夢助學專款」，而上天好像也眷顧於筆者心中之善念，菩薩們也在冥冥之中，將有緣善人陸續牽引而來與我相識。很慶幸，因著這本「公益之書」的出版，筆者也因此能廣結善緣，在許多親朋好友的共襄盛舉之下，《俊逸文集》為高醫總共募得「起飛圓夢助學專款」約三百萬元，令本人非常欣慰，也充滿感激之情。

清人張潮的〈幽夢影〉中有一段智慧小語：「有工夫讀書，謂之福；有力量濟人，謂之福；有學問著述，謂之福；無是非到耳，謂之福；有多聞、直、諒之友，謂之福。」若是這五福能夠全備，便是所謂難得的「五福臨門」。不過，這個五福與《書經》說的「五福」是不同的。《書經》的五福是：長壽、富貴、康寧、好德與善終。筆者因上天的眷顧，一生可以廣博閱讀，進而著書成集著作出版，且能將所得用於幫忙弱勢而需要幫助的學生，在五福中已臻三福，已算是個有福之人，人生至此，夫復何求？足矣！

楊俊毓

寫於二〇二一年九月二十一日中秋夜

臺灣高雄俊逸軒

思辨是現代人要修習的課題

根據報載，日本《讀賣新聞》以「假新聞動搖臺灣」為標題，回顧關西機場事件，文中指出中國成立「對台工作小組」，為了動搖蔡英文政府，利用臺灣媒體競相爭取網路新聞點閱率，只愛關注吸引人的話題，訂下有組織散布假新聞的方針，以日常生活問題散播假新聞，若成功讓臺灣媒體轉載就頒發獎金。

假新聞（fake news），根據維基百科的定義，是指刻意以傳統新聞媒體或是社群媒體的形式來傳播的錯誤訊息（misinformation），目的是為了誤導大眾，帶來政治經濟的利益，假新聞因著社群媒體的無所不在，在網路推波助瀾下影響力已日益深遠。

在沒有大眾傳播工具之前，人類消息的傳播主要靠口耳相傳（口口相傳），有些人在路上聽到了某些傳聞，不加求證，即在途中說給別人聽（傳播馬路新聞），這就是孔子所說的「道聽塗說」。

街談巷議的消息，謬誤在所難免，有的捕風捉影，有的加油添醋，不可輕易相信，更不能當成是事實，據以傳播，逕向他人轉述。有智慧的人應判斷消息來源的可靠度，弄清楚事實的真相，避免斷章取義，否則道聽塗說是背離德行的行為（道聽塗說，德之棄也）。「曾參殺人」與「三人成虎」的成語故事都是在以訛傳訛的情況下，讓人很容易誤信以為真，事實真相就不翼而飛了，真是人言可畏啊！

劉基（劉伯溫）是明朝開國功臣，他是傑出的軍事家、政治家與文學家，以神機妙算、運籌帷幄著稱於世。他以寓言筆法寫了《郁離子》一書，其中有一則「噪虎」的寓言故事，大意是說女幾山上，喜鵲喜歡在那裡築巢，有一隻老虎從灌木叢林中呼嘯而出，喜鵲群集而鼓噪，八哥鳥聽到後，也隨聲附和，群集在樹上高聲亂叫（鴝鵒聞之，亦集而噪）。

烏鴉看見了，就問喜鵲：「老虎是在陸地上行走的動物，與你們有何相干？讓你們這樣對牠亂叫（虎，行地著也，其如子何哉而噪之也）？」喜鵲回答說：「因為老虎呼嘯生風，我們怕風把我們的巢從樹上吹落下來，所以大聲鳴叫，想讓它早點離開（是嘯而生風，吾畏其顛吾巢，故噪而去之）。」烏鴉又問八哥鳥，八哥鳥無言以對。

烏鴉笑著說：「喜鵲的巢築在樹梢上，怕被風吹落，所以畏懼老虎出沒，而你們住在樹洞裡，為什麼也應聲叫囂湊熱鬧呢（鵲之巢木末也，畏風，故忌虎；爾穴居者也，何以噪為）？」

假新聞之所以傳播迅速，在於大部分的民眾都是很盲目地依賴和追隨別人，逞口舌之快，隨聲唱和、人云亦云，因此可以輕易讓謠言傳得滿天飛，就像那群八哥鳥一樣，明明與他們無關，但是牠們卻樂於附和，一起鼓噪，是毫無意義的多嘴多舌者。多嘴多舌的人，往往聞風便是雨，他們往往隨波逐流，毫無自己的主見，往往可能給生活增添許多不必要的麻煩，這就是「鵲集噪虎」的成語典故。

二〇一六年美國總統大選，川普當選，事後證明假新聞扮演關鍵性角色，讓民眾驚訝到民主竟然可以被這樣操弄，自此，假新聞成為世界各國重大議題。

目前世界各國仍無有效措施遏止假新聞的傳播，可說尚無良策。媒體固然有言論自由，但也要善盡查證的責任，可以說媒體要對假新聞傳播負最大責任，這部分只能期待媒體的深切自律；困難的是，民眾多數無法分辨真偽，因此就民眾而言，就應該培養他們的判斷能力，行政院政務委員唐鳳針對辨識假新聞提出推動基礎教育相應的教學，以協助培養媒體素養的能力，其實這就是獨立審慎思考能力的培養。

要言之，要把消息追問清楚，不可落於盲從，除非不問，要問就要問清楚，絕不放棄（有弗問，問之弗知弗措也）；除非不分辨清楚，要分辨而沒有分辨明白，絕不放棄（有弗辨，辨之弗明弗措也），這是《中庸》所說的「審問」、「慎思」與「明辨」。

美國哈佛大學校長福斯特（Drew Gilpin Faust）在二〇一七年哈佛新生的開學典禮上對他們說大學教育的目標，是確保畢業的學生能分辨有人在胡說八道（recognize when someone is talking rot），臺灣教育部補助的大學深耕教育計畫也特別強調，各大學要重視大學生邏輯思辨（critical thinking）能力的培養。

物理學巴斯卡原理及數學的巴斯卡三角形大家觀念也許已模糊不清，這位在數學與物理領域都有偉大成就的法國天才巴斯卡（一六二三－一六六二），雖然他英年早逝，但寫過一本哲學的著作《沉思錄》，是歐洲近代哲理散文的經典，書中有一句話：「人不過是一根蘆葦，是自然界最脆弱的東西，但他是一根能思想的蘆葦。」這句話也意謂著不會獨立思考的人，就像蘆葦一樣，只能隨風搖曳擺蕩了。在這個假新聞充斥，八卦謠言滿天飛的時代，思辨能力真的是現代人需要認真修習的課題。

原文刊載於二〇一八年十月九日《蘋果網路論壇》

這次選舉是對蔡英文的不信任投票

二〇一八年九合一地方選舉已落幕，執政的民主進步黨挫敗，在六都及縣市長選舉，國民黨拿下十五席，無黨籍一席，民進黨從四年前的十二席慘輸到只剩下六席，總統蔡英文已辭去黨主席一職，行政院長賴清德、總統府秘書長陳菊也都口頭向蔡總統口頭請辭，但蔡總統均予以慰留。

民進黨遭民意的海嘯狂襲，在選戰中打得艱辛無比，選情一瀉千里，結果一敗塗地，幾近全面慘敗，究其因素當然很多，民進黨自會檢討，但經濟因素恐是重要關鍵因素，各行各業都感受到經濟緊縮，人民普遍感受到日子變苦，這個人民要「顧肚子」、「要民生」的民意如洪流般發威，加速了執政黨選票的流失，從彰化縣及雲林縣等農業縣變天，也可以看出民怨之沸騰。

《論語》記載了子貢問孔子為政的道理，孔子認為為政之道在於「足食」、「足兵」、「民信之」。足食的意思很簡單，就是要糧食充足，大家有飯吃、有衣穿、生活好，也就是政府可以解決人民溫飽的問題，唯有這樣才可以使得人民信任政府，民主時代，國以民為本，民以食為天，老百姓的生活才是政府的第一要務，老百姓的生活困苦，一定會造成民怨，民怨一旦產生，國家就慘了，國家就很難治理了「人困國殘」，所謂「民為邦本，本固邦寧」古有明訓。

有一次冉有駕御馬車陪同孔子到衛國去，到了衛國後，孔子一看，衛國人口眾多，社會繁榮「庶矣哉！」冉有就問，「人口眾多，進一步應該怎麼做（既庶矣，又何加焉）？」孔子說：「先讓人民富裕起來（富之）。」冉有又問：「已經富足了，再進一步要做什麼呢（既富矣，又何加焉）？」孔子說：教育他們（教之）。」從這段對話可以看出孔子認為政治發展的三個階段就是庶（繁榮），富（富有），教（教育），這是孔子富而後教的治國思想。

管理國家之人民最先決定的條件，就是讓民眾基本生活得到保障，簡單地說就是發展庶民經濟，否則人民生活困苦，會造成社會不安定，要人民生活富足，才不會飢寒起盜心，社會才會安定，執政者要搞政治就要先把經濟搞好，否則連老百姓最低的需求都無法做到，即使做再多未來的規劃與藍圖，對老百姓而言都是不切實際的，都是多餘的，這次執政黨的挫敗，可以說是民心思變，「拚經濟」才是大多數老百姓的期盼。

齊桓公能九合諸侯，一匡天下，完成霸業，大家都知道他用了一個以重視商業經濟的管仲為輔相，把齊國的國勢復興起來，管仲是第一個提出富民政策的政治家，他能夠助齊桓公完成霸業，用的就是「藏富於民」的政策。《管子．治國》說治理國家的方法，一定得首先讓百姓富裕先來，百姓富裕起來，就比較容易統治，百姓貧窮就難以統治（凡治國之民，必先富民，民富則易治，民貧則難治也）。

憑什麼知道是這樣呢？因為百姓富裕，就能安心地生活在家鄉，並且重視自己的工作與產業，百姓就能樂於正常生活，很害怕違背國家的法令規章，因此就能服從政府的領導，國家就比較容易治理（民富則安鄉重家，安鄉重家則敬上畏罪，敬上畏罪則易治也）。

相反的，人民貧窮對地緣就比較不具歸屬感而較容易不安於鄉居，老百姓生活不安定，就比較容易不在乎死活，不在乎死活，就什麼事都做得出來而容易冒犯法令，百姓敢於冒犯法令，國家就比較難治理（民貧則危鄉輕家，危鄉輕家則敢陵上犯禁，陵上犯禁則難治也）。

古今中外皆然，凡是國泰民安的國家，都是執政者竭力使人民富裕的結果，凡是動亂多事的國家，人民生活不安定，百姓自然就貧窮，因此善於治理國家的領導人，必須首先使百姓富裕起來，然後才能統治他們（故治國常富，而亂國常貧；是以善為國者，必先富民，然後治之），這個「治國之道，必先富民」的經濟政治哲學是被歷史反覆證明顛撲不破的真理，聰明的領導人應該是要聽得進去的。

兩年多前，才以六百八十九萬票狂勝的總統蔡英文，聲勢可謂如日中天，但在被視為二〇二〇年總統大選前哨戰的九合一選舉，民進黨卻遭逢挫敗，執政黨應可體會民意如流水及「水能載舟，水能覆舟」的真義，這次選舉可以說是對蔡英文總統的不信任投票。

古語有云：「事情不發展到極點，民意不會反彈（物不極則不反）。」民進黨應虛心檢討，痛定思痛，坦然面對新民意，體察民生疾苦，傾聽庶民的心聲，改善老百姓、中低階層、年輕世代、弱勢族群的收入與生活，只有把民生經濟搞好，人民才會真正有感。

原文刊載於二〇一八年十一月二十八日《蘋果網路論壇》

韓市長當領袖不要太聰明：「人事」才是得失天下的主因

高雄市長當選人日前宴請選舉過程中幫忙的黨工與志工人員，被問及是否會有黨部人員入市府小內閣，他說只要是人才他都會考慮延攬，但比例不會太高，畢竟市政治理是非常嚴肅的事，與選舉打天下是截然不同的。

陸賈是漢高祖劉邦身邊一位能言善辯的人才，他時常向劉邦進言時稱道《詩經》與《書經》，劉邦就罵他說老子的天下是騎在馬上打來的，哪裡用得著《詩經》與《書經》（乃公馬上得之，安事詩書）。陸賈接著回答說：「騎在馬上奪取天下，難道也可以騎在馬上治天下嗎（馬上得之，寧可以馬上治之乎）？」

從前商湯和周武王以武力奪取天下以後，都是以順民心的政策鞏固天下。文治武功並用，才是國家長治久安的辦法（湯武逆取而以順守之；文武並用，長久之術也）；秦朝統一天下後，仍然使用嚴刑峻法高壓統治，假使秦朝能實行仁義治國，順民心，陛下難道還有機會得到天下嗎（秦以并天下，行仁義，法先聖，陛下安得而有之）？這是《史記‧陸賈列傳》「馬上得天下，不可馬上治之」的道理，劉邦聽了當然很不高興，但是面有慚愧之色（高帝不懌，有慙色）。

民主政治靠選舉取得政權，但是取得政權以後，不能仍然天天搞選舉，必須歸於平靜，開始面對現實，很務實地施政，兌現選舉時所提出的政見與承諾，以良好的政績，取得民意的信賴與支持，才可能繼續執政，否則政績不好，下次選舉，就得面對新民意的考驗，政權可能又被輪替，換人做做看了。在位的執政者永遠要時時反躬自省，我為何贏得選舉？為何我的對手失去政權？時時警惕，不要驕傲，不要自我感覺良好。

新當選的六都市長及縣長將在十二月二十五日就任，連任的縣市，小內閣可能只有微幅改組，新當選的則要新組執政團隊，大家都急著尋找（挖角）優秀的人才進入執政團隊，人才是治理市（縣）政之本，每個當選人都說用人不分黨派，「唯才是用」。但做領袖要認得這個人是不是人才，要看得準，拿得穩，也就是要有賞識人才的眼光。

韓信原是項梁的部下，默默無聞「無所知名」，後來項梁兵敗，韓信跟了項羽，他曾給項羽獻策，項羽都未採用，後來韓信就離開項羽投奔了劉邦，但也沒受到賞識，後來犯法被判死刑，他要被執刑時，抬頭看見夏侯嬰，韓信就說：「漢王不是想得天下嗎？為什麼要殺壯士（上不欲就天下乎？何為斬壯士）！」夏侯嬰見韓信這話說得不平凡，又見他相貌堂堂，就把他釋放了（奇其言，壯其貌，釋而不斬），夏侯嬰與韓信談過一會兒話後，就把韓信介紹給劉邦。

但劉邦仍未發現他有什麼特別的地方（上未之奇也），但是後來韓信多次與蕭何談話，蕭何對他很賞識，但劉邦總是不肯重用韓信，於是他就逃跑了（上不我用，即亡）。

蕭何聽說韓信逃亡，來不及向劉邦報告，就趕緊去追韓信，這時有人向劉邦報告「蕭何跑了」，劉邦勃然大怒，感覺好像突然失去左右手，蕭何回來後，劉邦罵他怎麼也跑了，蕭何說明是去追韓信，劉邦又罵：「逃跑的將領那麼多人你都沒追，卻只追韓信，騙誰（諸將亡者以十數，公無所追；追信，詐也）？」蕭何要追韓信是因為韓信有軍事天才，後來劉邦拜韓信為大將軍，打拜項羽，奪得天下，《史記・淮陰侯列傳》記載了這段「蕭何追韓信」的故事，劉邦信任張良、蕭何、韓信（漢初三傑）而統一中國，其實就是告訴我們「治國之難，在於知賢」。

各市（縣）長即將就職，任人非常重要，當領袖的人不要太聰明，「上愈智則下愈愚」，上位者太聰明，下位者笨的人就越多，上位者太能幹（自己認為最能幹，比被你用的人都能幹），下面的人就抱一個觀念，多做多錯，不做不錯，乾脆不做最好，所以真有辦法的人，只領導就好，也就是要能夠「知賢而不在於自賢」。

認得這人是不是人才，如果是人才就要信任他，但這都不容易，這是要有氣度的，列子說：「知賢難，任賢更難。」

四年後，是繼續執政或者失去政權，雖然說是上天的安排，但難道與人的作為無關嗎？「盛衰之理，雖曰天命，豈非人事哉」，這是北宋大文學家歐陽修的歷史觀點，他強調人為的力量大於天命的安排，以作為當朝或未來執政者的警惕，歐陽修並強調人事才是得失天下的主因，這個觀點，在民主政治時代仍然適用，我們祝福即將上任的六都市長及縣長都找到最你們心目中最優秀的人才加入執政團隊，為百姓創造更大的幸福。

原文刊載於二〇一八年十二月四日《蘋果網路論壇》

天佑臺灣，「豬」事順利

非洲豬瘟肆虐中國大陸，目前已有二十三省傳出疫情，行政院農業委員會已證實自中國大陸漂流至金門海岸的死亡豬隻確實檢驗出非洲豬瘟病毒核酸陽性，引發病毒傳播疑慮，非洲豬瘟已然兵臨城下。

眼見非洲豬瘟來勢洶洶，行政院為防範非洲豬瘟疫情，早在十二月十八日即成立「非洲豬瘟中央災害應變中心」，全面啟動防疫措施，呼籲各界共同防疫，各地方政府也已紛紛成立緊急應變小組，配合中央政策，盡全力輔導豬農，阻絕疫情，防堵非洲豬瘟。

二〇一九年是己亥年，生肖屬豬，生肖基於干支紀年，是跟著二十四節氣走，立春是二十四節氣之首，而不是以春節為開端（農曆的正月初一是農曆的歲首，一年的開始，而非生肖的起始），立春前出生屬前一年的生肖，立春後出生則屬今年的生肖。二十四節氣是根據國曆劃定的，今年的立春是二月四日，因此二〇一九年二月四日以後出生的生肖才屬豬，之前出生的仍屬狗。

古代的經濟以農耕、畜牧為主，穀物豐收，牲畜繁滋，代表經濟興旺，俗話說的「六畜興旺」就是指各種牲畜、家禽（雞、犬、豬、羊、牛、馬）繁衍興旺。《孟子・梁惠王上》說：「雞豚狗彘之畜，無失其時，七十者可以食肉矣！」意思是說：「飼養雞、狗、大、小豬隻，不要誤失牲畜滋生繁育的季節，那麼七十歲以上的老人，日常就都有肉可吃了。」這與孟子一貫主張的「使民以時」、「勿奪其時」都是關心人民疾苦的體現。

這次的非洲豬瘟來勢洶洶，臺灣雖然目前尚無疫情發生，但一旦爆發可就會像野火燎原，一發難以收拾；回想一九九七年臺灣爆發口啼疫疫情，豬隻外銷日本的榮景一夕消失，豬價爆跌，許多養豬場關閉，相關的飼料場和豬肉品加工廠倒閉，造成整體經濟重大損失，許多豬農可謂至今仍心有餘悸，談豬色變，深怕噩夢重演。

談到豬就得說到歷史上「韓非子」著名的「殺彘教子」的故事。大家都知道孔子有位學生名叫曾參（曾子），他著有《大學》一書。

有一天，曾子的妻子要到市場去，她的兒子就哭泣起來，想要跟媽媽一起去，曾參的妻子就說：「你先回去，等我回來後，我就把家裡的那隻豬殺掉，煮給你吃（女還，顧反為女殺彘）。」曾子的妻子從市場回來後，曾子真的要把家裡的那頭豬抓來殺掉，他的妻子就阻止他，並說：「我剛才的話只是與小孩開開玩笑而已，豈可當真（特與嬰兒戲耳）。」

曾子也很嚴肅認真地對妻子說：「小孩子是不可跟他欺騙撒謊的，小孩子本來是沒什麼知識，須賴父母做榜樣來學習，聽從父母的指導（嬰兒非與戲也，嬰兒非有知也，待父母而學者也，聽父母之教）。現在欺騙孩子，這就如同教導兒子欺騙別人（今子欺之，是教子欺也），母親欺騙兒子，兒子從此不相信母親，這不是教育的好方法（母欺子，子而不信其母，非所以成教）。」說罷，曾子就把豬給烹了給孩子吃（遂烹彘也）。

無獨有偶，《韓詩外傳》也有一篇「孟母教子」的故事。

孟子小的時候，有一次看見東邊的鄰居殺豬，孟子就問他的母親：「東邊的鄰居為什麼殺豬？」孟母就說：「是要給你吃的（欲啖汝）。」

孟子的母親剛說完這句話就後悔了，她說：「我懷這個孩子的時候，非常重視胎教，座蓆若擺放不正，我是不會坐的，肉若切割的不方正，我也是不吃的（吾懷妊是子，席不正不坐，割不正不食，胎教之也）；現在孩子才剛有一點知識，我就欺騙他，這是從小就教育他不信實（今適有知而欺之，是教之不信也）。」最後孟子的母親真的就買東鄰的豬肉給孟子吃，以表示自己並非欺騙孟子（乃買東家豚肉以食之，明不欺也）。

這兩個故事，都強調做父母的人，一言一行都要小心謹慎，不可失信於孩子，才能成為孩子的最佳榜樣，培養小孩子的品德，真的從小就要從家庭教育開始。

蘇軾是唐宋八大家之一，他的文采蓋世，膾炙人口的文學作品不勝枚舉，他曾因重大冤案「烏台詩案」而被貶到黃州，一家人在那開荒種地，他把和家人開闢出來的這塊地叫「東坡」，自稱「東坡居士」，蘇東坡這個名字就是這時叫出來的。

他不僅是著名的文學家，還是一位精於烹飪的美食家，不僅懂得吃，也懂得怎麼做，對豬肉尤有偏嗜，愛吃豬肉的他寫了一首〈豬肉頌〉：「淨洗鍋，少著水，柴頭罨焰不起。待它自熟莫催它，火候足時它自美。黃州好豬肉，價賤如泥土。富者不肯吃，貧者不解煮。早晨起來打兩碗，飽得自家君莫管。」這就是流傳千年著名的「東坡肉」的作法，以小火慢煨而成的紅燒肉，色澤紅潤，肥而不膩，湯質稠濃，爽滑可口，味道醇厚。

黃州所養殖的豬，肉質味道優美，可是價錢如泥土，富貴人家因價賤而輕視它，貧窮人家買得起卻不懂得好的煮法，精於美食的蘇東坡，藉著他的文筆描述，很快地「東坡肉」就聲名遠播，黃州豬肉的知名度就大大提升了，「貨自就出得去了」，也間接達到富庶百姓的政績。

蘇東坡每被派（貶）到一地，都盡力為民眾做好事情，很受當地民眾的愛戴，因此每次被調離的時候，百姓都依依不捨，有的跪在一旁哭，有的一送就是幾里。

一個好的地方父母官，其實可以向蘇軾學習，只要將原本默默無聞的地方特色（產）發揚光大，名揚全國，地方產業經濟自然就繁榮富庶，百姓自然感恩戴德，這是未來連任的最大本錢。

剛上任的六都市長及各縣市長，當以蘇軾為榜樣，發展並行銷具地方特色的產業經濟（拚經濟），財源自然滾滾而來，這是民眾最有感的。

再過三星期立春就要到了，大家都在準備迎豬送狗，人人期望明年會更好，期待豬年福運大吉，諸事順心如意。

但願天佑臺灣，上天保佑，這次全面防堵非洲豬瘟的策略與辦法可以奏效，以避免一場可怕的產業災難，否則豬年未到，非洲豬瘟先來報到，那可真流年不利啊！預祝臺灣豬年六畜興旺，國運昌隆，「豬」事順利。

原文刊載於二〇一九年一月十一日《蘋果網路論壇》

蘇貞昌能助蔡英文穩定政局嗎？

去年十一月二十四日的九合一選舉，對民進黨而言是很大的挫敗，敗選後賴清德第一時間請辭，但獲總統慰留，賴清德基於政局穩定先留任；交通部長、環保署署長、農委會主委及中央選舉委員會主委為敗選扛責請辭獲准，後來教育部長也走人。

今年元月十月立法院中央政府總預算審查通過，賴清德基於責任政治於元月十一日上午舉行行政院臨時院會，進行內閣總辭，隨後總統蔡英文正式宣布行政院長一職由蘇貞昌接任，這也是蘇貞昌相隔十二年後再度接任閣揆的工作，蘇貞昌已完成內閣改組工作，並在元月十四日宣誓就職。

蘇貞昌以七十一歲又五個月的年紀，再次接任閣揆，成為我國歷任行政院長中，就任時第二年長的行政院長，雖然外界曾有人質疑他的年齡，但他自比英國前首相邱吉爾，邱吉爾也曾兩度當首相，再度當首相時年已七十六歲，比蘇貞昌現在的年齡還大五歲呢！

《禮記・王制》有記載：「五十杖於家，六十杖於鄉，七十杖於國，八十杖於朝，九十者，天子欲有問焉，則就其室，以珍從。」柱杖表示已漸入老化狀態，若是壯年則不需柱杖，古時候有爵之老臣，君王賜之杖，以示國君對老臣的一種尊敬。

七十的老臣可以柱杖在國都裡行走，八十的老臣可以拿著枴杖上朝（政務官沒有退休年齡限制），「杖國之年」、「杖朝之年」也可以是年齡七十歲、八十歲的代稱。到了九十歲，如果朝廷有事，天子則須親至其家請教，去時還得要隨帶時鮮珍品呢！大家可以看到總統為向總統府資政請益國事，通常都親自到府上拜訪，以示對國之重臣的尊重，這是根據古禮而來，蘇貞昌已屆古稀、杖國之年，但體力充沛，他的體力仍可「衝衝衝」，無庸置疑。

順道一提《史記・廉頗藺相如列傳》「廉頗老矣」的歷史故事。廉頗是戰國時趙國名將，與藺相如是吻頸之交，他「負荊請罪」與藺相如「完璧歸趙」的故事，更是大家耳熟能詳。廉頗年老時，在趙國不受重用，投奔魏國，但在魏國也不受重用，這時趙國由於經常受到秦國的攻擊，趙王很希望再起用廉頗，而廉頗也很有意願回趙國服務，於是趙王就派使者到魏國看廉頗的身體狀況如何，還能不能征戰沙場（趙王使使者視廉頗尚可用否）。這時廉頗的仇人郭開花錢賄賂了這位使者，叫他想方設法破壞此事（多與使者金，令毀之）。

趙王的使者見到廉頗後，廉頗在使者面前一頓飯就吃了一斗米，十斤肉，然後穿上鎧甲，跨上戰馬，表示自己身體還很健康，還很好用，可再勝任為將（廉頗為之一飯斗米，肉十斤，披甲上馬，以示尚可用）（能吃肯定沒問題，還能繼續上陣殺敵）。但是這個使者回去卻對趙王說：「廉頗將軍已經老了，雖然他的胃口很好，但在與他談話的很短時間內，就一連上了三次廁所（廉將軍雖老，尚善飯，然與臣坐，頃之三遺矢矣）。」（不知是吃壞肚子，還是攝護腺肥大頻尿）趙王一聽，以為廉頗確實老了不行了，只能感嘆「廉頗老矣。」就沒有再任用廉頗，對照蘇貞昌七十一歲再度組閣為相，風光依舊，廉頗如果再世，恐怕也要羨慕不已。

戰國時代初期，魏國最強盛，在魏文侯的努力下，魏國為戰國七雄中最早稱霸的國家。有一天，魏文侯向元老重臣李克（李悝）徵詢對宰相人選的意見，他對李克說：「先生曾教導我說：當家境貧寒的時候，就需要有個賢良的妻子；當國家混亂的時候，就需要賢良的宰相（家貧思良妻，國亂思良相）。如今可擔任魏國宰相的人選，不是魏成子就是翟璜，你覺得這二個人誰更合適？」

李克回答說：「地位低的人不議論地位高的人，關係疏遠的人不能議論關係親近的人（卑不謀尊，疏不謀戚），我是宮廷外面的路人，不宜對您所問的問題發表意見（闕門之外，不敢當命）。」魏文侯對他說：「你就不要推辭了，請貢獻你的意見吧（先生臨事勿讓）。」李克說：「其實國君你應該觀察他們平常的時候和什麼人親近（居視其所親），富貴的時候觀察他們都結交什麼人，把錢花在什麼地方（富視其所與），顯達的時候觀察他們都推薦什麼人做官（達視其所舉），處於困境的時候，觀察他們能不做什麼事（苟且出賣良心之事，堅決不做）（窘視其所不為），貧賤的時候，觀察他們不取那些東西（不義之財不取，廉潔的程度）（貧視其所不取）。」

李克的「五視」「居視其所親，富視其所與，達視其所舉，窘視其所不為，貧視其所不取」就是歷史上有名的「識人五法」，簡單而深刻，運用「五視」觀人可以瞭解一個人的品德、操守、價值觀、人才觀等內涵，李克對魏文侯的建議可以說是選擇良相的重要參考，在當今識人用人仍有借鑒之意義。

《史記・魏世家》「家貧思良妻，國亂思良相」說明了妻子對一個家庭的重要，行政院長對一個國家的重要，在平常的日子裡，也許不覺得什麼，可是當家庭貧窮的時候，當國家混亂的時候，就會覺得他們對於支撐一個家和一個國家的重要了，有不少人不看好民進黨二〇二〇年的總統及立委選舉，在此困難的情況下，越要用人得當，蘇貞昌回鍋擔任行政院長，蔡英文總統稱讚他有經驗、有魄力、有執行力，蔡總統能否就此穩定政局成為贏家，有待新內閣上路後的表現，政策如何讓人民有感，以挽回人民對執政黨的信心，已然是新內閣嚴峻的挑戰，也是當前最重要的任務，值得大家一起來關注。

原文刊載於二〇一九年一月十六日《蘋果網路論壇》

「戒」惡習宜低調　政治人物應以豬八戒為鏡

再過幾天，農曆新年就到了，許多政治人物依照往例會推出自己的春聯向民眾賀新年，這已是臺灣政治人物拚人氣的必備行程之一。前總統馬英九寫得一手好書法，去年狗年春聯，掀起民眾爭搶風潮，今年春聯已在上週六全國四十三個據點同步發送，馬前總統為豬年寫下「四海承風送駿犬，八方輻輳迎天蓬」的春聯，再度引發民眾索取熱潮，拍賣網站上甚至也出現許多賣家拍賣馬英九豬年春聯。

春聯是我國新年習俗中最重要的象徵，貼上紅色的春聯，一方面表示新年到來，同時紅色的春聯也可以討點喜氣。先簡單扼要說明一下春聯的由來。

春聯源自於「桃符」，桃符就是桃木做的兩塊大板，相傳在桃符上面分別寫上傳說中的降鬼大神「荼荼」和「鬱壘」的名字，掛在大門兩側，可以避邪趨鬼，祈求平安（其實就是門神）。早在秦漢之前，民間即有在過年時，在大門的左右懸掛桃符的習俗；到了五代十國時期，蜀後主孟昶書寫聯語「新年納餘慶，佳節號長春」貼於桃木上，這可是我國最早的一副春聯。

宋朝的王安石有一首有名的辭舊迎新詩〈元日〉：「爆竹聲中一歲除，春風送暖入屠蘇；千門萬戶曈曈日，總把新桃換舊符。」這首詩描寫新年元日的熱鬧景象，陣陣的爆竹聲中，舊的一年已經過去，和煦的春風吹來，人們歡樂的暢飲新釀的屠蘇酒；初升的太陽照耀著千家萬戶，他們都忙著把舊桃符取下換上新的桃符，這就是除舊布新的意思，從這首詩也可看出宋朝時仍有掛貼桃符（春聯）的習俗。

到了明朝，因為中國人喜歡用紅色代表喜氣，所以用紅紙替代桃木板，其後明太祖朱元璋又提倡寫春聯，命令文武百官及老百姓，除夕必須在門上張貼春聯，他還曾微服出巡，途中遇一閹豬者，正為春聯之詞句所苦，乃親題「雙手劈開生死路，一刀割斷是非根」的春聯賞賜給他，從此以後，新年期間張貼春聯的風氣大興，持續至今，已成為一種獨特的中華文化。

新的一年是豬年，各方（東、西、南、北、東南、東北、西南、西北）都在迎接豬年的到來（八方輻輳迎天蓬），天蓬即是「天蓬元帥」，就是吳承恩《西遊記》故事中在天庭統領八萬天河水兵的豬八戒，他是唐僧的三個徒弟之一，排行第二，法名豬悟能（師兄是孫悟空，師弟是沙和尚，法名沙悟淨），由於蟠桃會上喝酒調戲仙女嫦娥，被玉帝受罰，投錯胎變成豬模樣。中國古典小說有「四大名著」之說，那是指《三國演義》、《水滸傳》、《西遊記》及《紅樓夢》，其中《西遊記》是最特別的一部，因為它是以浪漫主義的手法，創造了一個現實生活中不可能存在的神魔世界，它雖是一部神話小說，但妙趣橫生，深受人們喜愛。

豬八戒是全書中的陪襯人物（主角當然是孫悟空與唐僧），他憨厚純樸，是孫悟空與妖魔搏鬥的好幫手，但是他也有不少缺點，書中隨處可見。

叫他外出尋找食物，他不是偷睡懶覺（偷懶），就是將找來的食物先撿好的吃（貪吃），在取經的路上遇到美女，就想方設法上前搭訕（好色）；他對事缺乏堅定的信念，遇到困難，就畏縮動搖（畏難），他嫉妒心強、愛搬弄是非（嫉賢），他愛佔小便宜，常常打個人小算盤，甚至想分行李散伙回家（貪小便宜），他常常賣弄小聰明，但往往弄巧成拙，自食惡果（愛說謊），他不是打敗妖魔的主要貢獻者，卻喜歡邀功（貪功），這都是作者對他的描寫和嘲笑，但也是善意的批評。

豬八戒是我們的一面鏡子，他擁有芸芸眾生的人性本質與缺點，但在唐僧、孫悟空與沙僧師弟耐心地幫助，他一點一點地去實施了「戒」行，最後也修成正果，被如來佛封為「淨壇使者」。

今年接近尾聲，很快豬年到來。在豬年來臨之際，讓我們深刻反省，學習豬八戒「戒」除惡習的決心（八戒）。今年天蓬值歲，生肖豬者本命年恰逢太歲，犯太歲的人運勢不好，凡事以守為主，俗諺說「人怕出名豬怕肥」，凡事不可太高調，遇事不可衝動，應三思而行，一切小心點，這可能比誦念天蓬元帥的「天蓬神咒」還可以護己祈福。

一年復始萬象更新，新的一年祝《蘋果網路論壇》的讀者都有一個新的開始、新的希望、新的契機，事業家庭諸事圓融，諸事順心又如意。

原文刊載於二〇一九年一月二十九日《蘋果網路論壇》

以史為鏡：「土包子」的前世今生

高雄市長韓國瑜日前深夜邊喝酒邊開直播，介紹高雄在地酒吧，遭總統府發言人黃重諺在其臉書暗喻是「喝醉的土包子」，一時之間「包子」爆紅，高雄市觀光局局長預告要辦「包子」大賽，「土包子」議題很熱，韓國瑜自嘲為土包子頭。最近立法委員補選，選戰打得激烈，也有熱情攤商送「土包子」給民眾，看來「土包子」議題尚未退燒。

先談一下「包子」的歷史。包子是一種古老的麵食，起源於三國，相傳足智多謀的諸葛亮率兵攻打南蠻，七擒七縱蠻將孟獲，終使他臣服，當其班師回朝，大軍行至瀘水時，突然烏雲密布，狂風驟起，波濤洶湧，大軍無法渡江。

諸葛亮就找來孟獲問明原因，孟獲告訴諸葛亮，這是因為陣亡將士的冤魂出來作怪，在此興風作浪，必須要以七七四十九顆蠻軍的人頭（蠻頭）祭江，才可以風平浪靜，平安無事，諸葛亮不想再以人頭去祭江，於是命令士兵宰牛殺羊，將牛羊肉拌成肉餡，在外面包上麵糰，並塑成人頭，這種祭品被稱為「饅頭」（蠻頭）。

諸葛亮將「饅頭」拿去祭拜後，果然風平浪靜，大軍順利渡過瀘江，從此以後，人們就常用「饅頭」作供品進行祭祀，這就是「饅頭」的由來，而諸葛亮也被奉為麵點的祖師爺。

至於現在所說的「包子」這個名稱，則開始於宋朝，相傳宋仁宗生日時曾賜群臣包子，包子後面注曰：「即饅頭別名」。南宋著名愛國詩人陸游（別號放翁），他與唐琬至死不渝的愛情故事，千古之下，無人可比，他在〈蔬園雜詠・巢〉的詩中曾稱讚「籠餅」：「昏昏霧雨暗衡茅，兒女隨宜治酒肴，便覺此身如在蜀，一盤籠餅是豌巢。」自註：「蜀中雜彘肉（即豬）作巢（即餡）饅頭，甚佳。唐人正謂饅頭為籠餅。」

從這些歷史可以發現，最早的饅頭是有餡的，一直到了宋朝才叫做包子，經後人的發展，演變成今日各種不同的風貌（菜包、水煎包、芝麻包……），並且口味上也有許多變化，但是諸葛亮創造發明饅頭包含著他愛民的精神，知道的人可就不多了。

土包子通常是指沒有見過世面的人，如果是說別人，就有輕蔑的意思，如果說自己是土包子，那是自謙之辭。古代不叫土包子，而稱「田舍翁」。唐太宗的大臣魏徵是歷史上有名的諫臣，他的〈諫太宗十思疏〉是名留千古的好文，有些論點，即使到了今天也有借鑑之意義，他對唐太宗的錯誤，往往絲毫不留情面。

有一天，唐太宗得到了一隻十分漂亮的鷂鳥，他十分寵愛，愛不釋手，便放在臂上賞玩，不料魏徵從遠處走了過來，唐太宗便趕緊把鷂鳥藏在懷裡（魏徵曾諫君王不可玩物喪志），但魏徵早已看見，卻故意裝做不知道沒看見，不疾不徐地開始對唐太宗講起古代帝王追求逸樂而誤（喪）國的事情，暗諷太宗。

唐太宗不敢打斷魏徵的話，等魏徵講完離開，那鷂鳥已被悶死了，唐太宗回到宮裡見到長孫皇后，怒不可遏地說：「會須殺此田舍翁。」意思就是說總有一天我會殺了這個土包子！長孫皇后問太宗，那鄉巴佬土包子是誰？唐太宗說：「魏徵常常當朝侮辱我，不給我情面，真可惡。」這就是土包子的由來，古代叫「田舍翁」。

白居易是社會寫實派的詩人，他的詩深受歡迎，主要是因為貼近現實，語言淺近平易，通俗易懂，通過某些事件描寫人民的疾苦與不平，並揭露現實矛盾和政治弊端，讓當權者明白。

他有一首〈買花〉詩，前段大抵在描述長安貴族買牡丹花的場面：「帝城春欲暮，喧喧車馬度。共道牡丹時，相隨買花去。貴賤無常價，酬直看花數。灼灼百朵紅，戔戔五束素。」（註：五束素是花的價錢）

中段則在描述富貴人家迷戀於觀賞牡丹花的情形：「上張幄幕庇，旁織巴籬護。水灑復泥封，移來色如故。家家習為俗，人人迷不悟。」詩末段六句是：「有一田舍翁，偶來買花處。低頭獨長嘆，此嘆無人喻。一叢深色花，十戶中人賦。」這裡的田舍翁就是指年老的莊稼漢。

白居易的意思是說：他突然發現，有一鄉下老農，也來到買花的地方，老農目睹情景，低頭長嘆，然而這個感嘆又有誰了解呢？老農嘆氣道，這一叢深色的牡丹花，相當於十戶中等人家的賦稅。

白居易透過「田舍翁」的感嘆，具體描述當時社會貧富差距，同時也表現白居易對貧農的同情。田舍翁雖然是鄉巴佬，土包子，他們的言談舉止，本來就樸實無華，但是他們最接地氣，他們的感嘆最能真實（誠）反應在社會底層廣大勞工人民，特別是窮苦農民的心聲，為政者對他們的心聲，不能置若罔聞，好像沒聽見一樣，或者聽見了而不加理睬啊！

路邊的小草通常不會自動絆倒人，但總是有人走路不小心被絆倒，臺灣有一句俗諺：「一枝草也會絆倒人」，這句有智慧的諺語重點是說：不可以小看卑賤的小人物（土包子），他們有時候也會讓你摔得遍體鱗傷，搞得你灰頭土臉，也就是說做人最好要謙和寬厚一點，別看他像土包子就隨意藐視他，「土包子」有時候也會噎死人的！

原文刊載於二〇一九年三月八日《蘋果網路論壇》

人跟禽獸只有一線之隔

陸委會主委陳明通日前接受廣播專訪時說：「人如果只顧物質生活，吃得飽就好，那跟禽獸有什麼差別。」他的說法被解讀是暗諷最近登陸拚經濟的高雄市長韓國瑜，他的這一席「禽獸說」引起軒然大波，昨日陳明通特別舉行記者會兩度鞠躬道歉，坦言措辭不是很恰當，引起許多人感覺不舒服，對自己的失言，要跟大家說抱歉，他無意對任何拚經濟的國人同胞有任何不敬之意。

人和禽獸的差別在哪裡，孟子在兩千多年前就提出這個問題「人之所以異於禽獸者，幾希！」幾希就是一線之隔，差一點點而已，意思是太少了。

其實人也是動物禽獸的一種，我們大可不必看不起禽獸，在馴化的動物中，狗和馬的溫和忠誠是有名的，狗能為人類看門打獵，也是人類最忠誠的朋友，馬可為人類奮力拉車。劉備託孤給諸葛亮，孔明表達願像狗和馬一樣地效忠效勞，即有「效犬馬之勞」之意，後來「犬馬之勞」即用以表示甘願任憑使換，為人奔走效力的意思。

孟子所說的差異就一點點而已，那一點到底是什麼？孟子在〈滕文公篇〉說：「做人有做人的道理，如果只吃得飽，穿得暖，生活寬裕，安居逸樂，卻沒有仁義的教養，不知禮義，那就和禽獸差不多了（人之有道也，飽食，暖衣，逸居而無教，則近於禽獸）；聖人對此感到憂心，派契擔任司徒，教化民眾要：父子有親、君臣有義、夫婦有別、長幼有序、朋友有信（聖人有憂之，使契為司徒，教以人倫：父子有親，君臣有義，夫婦有別，長幼有序，朋友有信）。」這就是儒家所說的「五倫」。

孟子也提出人倫道德上四種最基本的心理行為，又稱為「四端」，他說：「惻隱之心，仁之端也；羞惡之心，義之端也；辭讓之心，禮之端也；是非之心，智之端也。」意思是說：仁的行為是由憐憫傷痛之心發端的；義的行為是由羞恥憎惡的心發端的；禮的行為是由辭謝退讓恭敬的心發端的；智的行為是由分辨是非的心發端的。這仁義禮智的四種好行為，就是這四種心理行為（四端）的擴大，因此若沒有這四端「無惻隱之心」、「無羞惡之心」、「無辭讓之心」、「無是非之心」被孟子視為簡直不是人（非人也），有時就成為「禽獸」的代名詞。

孟子認為人與禽獸的最大差別在於有無仁義的靈魂，一般人往往容易忽視仁義，只有講究修養品德高尚的人才注意到保存這一點（庶民去之，君子存之）。孟子特別提到舜帝，他說舜帝從一般事物的道理和人類的倫常出發，天性自然地行仁義之道，不是因為知道仁義的可貴而行仁義，那只是把仁義當成一種形式而已（舜明於庶務，察於人倫，由仁義行，非行仁義也）。

罵人是奸佞「小人」、「壞人」畢竟還承認他是人，但若罵人「不是人」，是「禽獸」，是「畜生」，這就罵得很厲害，這是非常侮辱的言詞，通常是指人做出無道德的禽獸行，像列子就罵夏桀、殷紂，雖然都有眼耳鼻口等七竅，都是人的樣子，但是心是獸性的（夏桀、殷紂，壯貌七竅，皆同於人，而有禽獸之心。）如果有人罵人連禽獸都不如（禽獸不如），那可就罵得更厲害了，這又是什麼意思呢？是有典故的。

阮籍是三國末年的詩人，擅於寫五言詩，是「竹林七賢」之一（阮籍、嵇康、山濤、劉伶、阮咸、向秀、王戎），貪戀杯中物，喝起酒來毫無節制，一喝就是狂飲而酩酊大醉，一醉就是幾天不醒，這是他生在亂世採取消極避世、借酒裝瘋、裝瘋賣傻的態度，來躲避當時嚴酷的政治現實不得已的選擇。

阮籍不愛做官，他聽說步兵營的廚人能釀造美酒，便請求去擔任步兵校尉，以便每日都能喝個痛快，所以後人又稱他為「阮步兵」。阮籍有個名聞遐邇才貌出色的女兒，司馬昭（就是「司馬昭之心，路人皆知」的司馬昭）看中了她，想為兒子司馬炎（即後來的晉武帝）娶媳，就派人向阮籍家求婚，阮籍不想將女兒許配給司馬家但又不敢拒絕，因此每當司馬昭使者來問時，就縱狂飲酒，喝得爛醉如泥、醉醺醺，一問三不知，稍一甦醒，又抱起酒罈猛喝，狂醉了六十多天，使司馬昭派去求婚的使者，始終無法與阮籍說上半句話，最後只好作罷，放棄聯姻這件事。

有一次，司馬昭和一些大臣在閒聊，阮籍也在場，恰巧這時有一位大臣說，近來有個案子，兒子竟殺了母親，阮籍就故意狂言說：「殺父親還可以，竟然有殺母親的嗎？」話一說出口，大家對他側目而視，司馬昭質問他：「殺父乃天下之至惡，難道你認為可以嗎？」

阮籍不疾不徐、不慌不忙道來，他說：「凡是禽獸大概都知道母親是誰，而只有極少數知道父親是誰，所以殺死父親是禽獸的行為，但若殺母親，連禽獸都不如了（殺父，禽獸之類也。弒母，禽獸之不若）。」阮籍的解釋合乎情理（其實符合生物世界的現象），臨時應付的才幹眾人誠服，司馬昭也不好怪罪他。其實無論是弒父或弒母，都是窮凶惡極，傷天害理，有違倫常之事，都是「禽獸不如」的行為，這個成語典故出自《晉書‧阮籍傳》。

我們常說人為「萬物之靈」，但禽獸中也的確有仁慈之心的美事，例如羔羊跪乳、烏鴉反哺等不勝枚舉，相較之下，有時人反而不如禽獸，禽獸除了要吃飽外，沒什麼大的壞心腸，人除了求得溫飽之外，有時壞心眼很多（飽暖思淫慾），因此有所謂的「狼心狗肺」、「豬狗不如」、「蛇蠍美人」之輩。

最後總結一下：孟子說人與動物最大的差別其實就是人有人性（四端），一旦失去人性，喪失理智，獸性大發，則無異禽獸，甚至「禽獸不如」，第一位獲得諾貝爾文學獎的亞洲人，印度詩人泰戈爾曾說：「當人是獸時，他比獸還壞（Man is worse than an animal when he is an aninal）。」這句話不就是「禽獸不如」的最佳詮釋嗎？

原文刊載於二〇一九年四月八日《蘋果網路論壇》

請看群雄逐鹿中原，竟是誰家之天下

二〇二〇年總統大選將在明年元月十一日投票選舉，距離選舉日不到八個月，國民黨及民進黨二大政黨之候選人均尚未確定，國民黨表態參選的有五位，包括王金平，郭台銘，韓國瑜，朱立倫及周錫瑋，民進黨則有尋求連任的蔡英文與宣布挑戰的前行政院院長賴清德，臺北市長柯文哲則有隨時宣布參選之態勢，有意角逐大位者，一時群雄並起，各方人馬逐鹿中原，究竟鹿死誰手，戲碼真的精彩可期，好戲還會在後頭。

為什麼把爭奪政權、爭奪天下叫「逐鹿」，而不是別的其他動物呢？（逐馬、逐虎……），這個典故出自《史記・淮陰侯列傳》「秦失其鹿，天下共逐之」。話說楚漢之爭時，劉邦與項羽對峙不下，項羽曾派人（武涉）遊說韓信，告訴他：「劉邦與項羽的勝負全操在你的手裡（當今二王之事，權在足下），你往劉邦一邊靠，漢王就能勝；你往項羽一邊靠，項王就能勝，你何不離開劉邦與項王聯合，給他來個三分天下，獨立稱王呢（何不反漢與楚連合，參分天下王之）？」韓信聽完委婉拒絕了。

齊國的策士蒯通知道整個天下形勢的關鍵在於韓信，也想方設法來打動韓信，他以一個相術先生的口吻對韓信說：「要知人的貴賤，看他骨骼的長相；要知人的憂喜，得看他的氣色；要知人的成敗，得看他能否當機立斷，用這幾個原則來相人，保證萬無一失（貴賤在於骨法，憂喜在於容色，成敗在於決斷，以此參之，萬不失一）。」韓信聽完就說：「好吧！那你來給我相相看，看我的命怎麼樣啊。」

蒯通說：「從你的面相來看，你這輩子最大不過封侯而已，而且還不大安穩；從你的『背相』來看，那你的尊貴簡直就沒法說了（相君之面，不過封侯，且危而不安。相君之背，貴乃不可言）。」（貴不可言之典故）。韓信要蒯通說明白一點，蒯通對韓信說：「楚漢二方你都不要得罪，讓他們都能存在下去，與他們來個鼎足而立，這樣二邊誰也不敢率先挑起事端，三分天下（莫若二利而俱存之，參分天下，鼎足而居，其勢莫敢先動）。」然而韓信不為所動，對劉邦仍然感恩圖報，沒有接受蒯通「背叛劉邦」的建議，後來還幫劉邦打敗項羽，取得天下。

韓信最後的下場是被誣以謀反之名處死，臨刑前，韓信說：「我真後悔當初沒有聽蒯通之計（悔不用蒯通計）。」劉邦因此派人將蒯通逮捕，問他：「是你教韓信造反嗎？」蒯通說：「是的，我是教過他要背叛你，可是那小子不聽我的話，才落得如此下場，如果他聽了我的話，你還能把他滿門抄斬嗎（然，臣故教之。豎子不用臣之策，故令自夷於此。如彼豎子用臣之計，陛下安得而夷之乎）？」

劉邦下令烹殺蒯通，蒯通大呼冤枉，「嗟乎，冤哉烹也！」劉邦說：「你教韓信造反，何冤之有？」蒯通回答說：「秦朝殘暴無道，綱紀大亂，法度敗壞，整個中原地區各路人馬紛紛起義，一時諸侯並起，英雄俊傑像烏鴉般群集（英俊烏集），這種情勢，秦朝國家的政權就像一隻鹿迷失在原野，天下豪傑群起追逐，誰有本事，誰的腳步快，就可捷足先登，先一步得手，取得獵物。」這隻鹿就是他的「秦失其鹿，天下共逐之，於是高材疾足者先得焉」，這就是成語「逐鹿中原」的典故。

古代帝王狩獵，都有專屬皇家林地供其打獵，養的最多的就是鹿，因為鹿溫馴較無殺傷力，獵人們追「逐」野「鹿」時，情勢緊急，劍拔弩張，這種場面，群雄並起，共同追逐獵物（鹿），後人即以爭奪天下，爭奪政權，比喻為「逐鹿」（鹿即為政權之意）。

鹿的另一個特性是牠見到食物時會呼喚同伴，《詩經．小雅．鹿鳴》：「呦呦鹿鳴，食野之苹，我有嘉賓，鼓瑟吹笙。吹笙鼓簧，承筐是將，人之好我，示我周行。」意思是說鹿呦呦不停地鳴叫，呼喚同伴來一起吃艾蒿草，我有滿座嘉賓到來，我會為他們鼓瑟吹笙，熱情歡迎，為他們吹笙鼓簧，善為款待，捧上滿竹筐的禮物相送，各方嘉賓都喜歡我，為我講明治國興邦之道。曹操的〈短歌行〉：「對酒當歌，人生幾何？譬如朝露，去日苦多。慨當以慷，憂思難忘，何以解憂，唯有杜康。」大家耳熟能詳。

曹操在〈短歌行〉中直接引用前述詩經中的詩句：「呦呦鹿鳴，食野之苹，我有嘉賓，鼓瑟吹笙。」抒發了他自己求才求賢若渴的情感，詩中也用「青青子衿，悠悠我心」表達他對賢才的思慕。〈短歌行〉的最後，曹操希望自己能如海如山，成就高深廣博，願像周公那樣，禮賢下士，期盼天下人心都歸向他，早日統一天下（山不厭高，海不厭深，周公吐哺，天下歸心），從此觀之，欲競逐大位者，除了要有宏偉的抱負外，更要有寬廣的胸襟，禮賢下士，廣納天下豪傑英才，然後才能萬眾歸心，庶幾能完成宏圖霸業！

執政的民進黨去年九合一選舉大敗，六都及縣市長選舉結果，國民黨從原來六個執政縣市成長至十五縣市，民進黨則從原來的十三縣市慘輸到只剩六縣市，已然失去地方執政優勢，這場選舉二黨均視為是二〇二〇年的總統大選的前哨戰，選後國內政治環境瀰漫著「民進黨將失其鹿，天下共逐之」的氛圍，國民黨信心滿滿，誓言贏回明年的總統大選，重新取得政權，因此，黨內精銳盡出，個個都大有來頭及捨我其誰的氣勢。

民進黨則是蔡英文總統誓言競選連任，保衛政權，卻遭遇賴清德「君子之爭」的挑戰，這幾個月來，臺灣正為總統選舉殺伐不止，選戰戰鼓頻催，但是勝敗乃是兵家常事，難以事前預料（勝敗兵家事不期），鹿死誰手，猶未可知，今日之域中，竟是誰家之天下，讓我們拭目以待吧！也祝福各位總統參選人，能在自己黨內初選脫穎而出，取得競逐大位的參賽權。

原文刊載於二〇一九年五月二十日《蘋果網路論壇》

果中尤物荔枝成熟時

據報載，二〇一九年是七十二年來最暖的冬天，荔枝開花期因氣候異常暖冬不冷，整體開花比率不到三成，屋漏偏逢連夜雨，中部地區也因暖冬導致荔枝椿象大量繁殖，因為受到荔枝椿象的啃食，導致荔枝減產，產量只剩一至二成，荔枝整體產量銳減，可能創下歷史新低。農委會說：今年開花率竟然連五成都不到，是近半世紀來首見。

荔枝原產於中國南部，是屬於亞熱帶水果，與香蕉、龍眼、菠蘿號稱「南國四大果品」。清朝著名的生活情趣作家張潮在其《幽夢影》一書，有這樣的話：「筍為蔬中尤物，荔枝為果中尤物，蟹為水族尤物……」他對這種水果真的是讚譽有佳，將荔枝視為水果中的極品。張九齡是唐玄宗開元盛世的最後一任名相，在他之後，大唐王朝江河日下，最後引發了幾乎導致唐朝滅亡的「安史之亂」。他是嶺南人（荔枝生產地），寫過一篇〈荔枝賦並序〉，也是對這種水果讚譽有加，他說荔枝在百果之中，沒有一種能比得上（百果之中，無一可比）。

北宋大文豪蘇軾晚年五十九歲被貶謫到嶺南，一般遷客到這裡，往往頗多哀怨之詞，蘇東坡則不然，在嶺南，他第一次吃到荔枝，非常喜歡，在〈惠州一絕・食荔枝〉詩中談到：他生活的羅浮山下四季如春，天天吃的枇杷楊梅都是新鮮的。如果每天吃三百顆荔枝，他願意都作嶺南人（羅浮山下四時春，盧橘楊梅次第新。日啖荔枝三百顆，不辭長作嶺南人）。

在這首詩中，表現了蘇軾的隨遇而安與對荔枝的喜愛之情。臺灣出產的水果種類眾多，臺灣人可算是很有口福的，雖然每個人喜好不同，但荔枝總是有口皆碑，人見人愛，我就非常喜歡荔枝，這是夏天特有的享受。

荔枝生長在巴峽中（四川省），樹形圓圓像遮蔽的布幕（荔枝生巴峽間，樹形團團如帷蓋）。葉子像桂樹，冬天翠綠；花像橘樹，春天開花，成熟荔枝的顏色是暗紅朱砂色（荔枝因此又稱丹荔），夏天成熟（葉如桂，冬青；花如橘，春榮；實如丹，夏熟）。果串像葡萄，果核像枇杷，果殼像紅色絲織品，果膜像紫色的生絲，果肉晶瑩潔白像冰雪一樣，汁液甜甜酸酸像甜酒奶酪（朶如葡萄，核如枇杷，殼如紅繒，膜如紫綃，瓤肉瑩白如冰雪，漿液甘酸如醴酪）。

若從樹上採摘下來（脫離樹枝），一天顏色就變了（真是紅顏易逝），二天香氣就變了，三天味道就變了，四、五天以後，原有的色香味就沒有了（若離本枝，一日而色變，二日而香變，三日而味變，四、五日外，色、香、味盡去矣），所以荔枝又名離枝。白居易在忠州（四川重慶，涪州等地，均產荔枝）刺史任內曾親手種荔枝，並曾派畫工畫下荔枝圖，並為之序〈荔枝圖序〉，寄朝中親友，這是為了讓沒看過荔枝或雖然看過但不曾見過採摘後一、二、三天荔枝的人所寫。行文對荔枝的產地、形貌、果實、顏色、味道以及採摘後情形，描述得很清晰，刻劃入微而生動，使人如見其形。顯然，白居易對這珍奇水果的荔枝也是盛讚的，沒見過荔枝樹的讀者，就以〈荔枝圖序〉的文字想像吧！

提起荔枝，總令人想起愛吃荔枝的楊貴妃來。楊玉環是在四川出生的，她的故鄉生產荔枝，而她也非常喜歡吃荔枝，唐明皇知道楊貴妃很喜歡吃四川的荔枝，便千方百計想在夏天盛產時，弄一些到長安來，可是荔枝一離樹枝，就色香味盡去，如何讓楊貴妃吃到新鮮美味的荔枝而笑逐顏開呢？

唐朝詩人杜牧在他寫的三首〈過華清宮〉絕句詩裡有一首諷詠唐明皇為討好美人芳心，紅顏一笑，不惜勞師動家，千里送荔枝的事：「長安回望繡成堆，山頂千門次第開；一騎紅塵妃子笑，無人知是荔枝來。」詩的大意是說：從長安回望驪山，華清宮（唐玄宗和楊貴妃的避暑之地）的花草、林木、建築景色像錦繡一般，華清宮的門一扇接一扇地次序打開，遠處捲起紅塵的驛馬朝著華清宮奔馳而來，楊貴妃在宮裡望見，笑得好開心，她知道最心愛的荔枝已被飛奔送來了，百姓看著十萬火急的驛馬，還以為是傳送什麼重要的軍機公文要給皇上呢？

無獨有偶，蘇東坡的〈荔枝嘆〉說：「十里一置灰塵飛，五里一堠兵火催；顛坑僕谷相枕藉，知是荔枝龍眼來，飛車跨山鶻橫海，風枝露葉如新採，宮中美人一破顏，驚塵濺血流千載……」都是形容負責運送荔枝的人與馬的辛苦，和為了滿足一人口腹之欲所付出的昂貴代價。

荔枝是果中尤物，隨著氣候變遷、全球暖化，暖冬乃是必然趨勢，也必然影響荔枝的收成，減少果農的收入，如何克服暖冬對農民造成的影響，政府責無旁貸，政府應有全面性措施，包括降低荔枝椿象的蟲害，對有災損的農民應從優從寬補助，未來若農民有遭受天災衝擊而損失時，應補助農民以幫助農民度過難關，這個攸關農業的保險政策，政府應予關注。

各位讀者們，如果你讀到本文，突然食指大動，為了幫助種植荔枝的農民，又可以像楊貴妃與蘇東坡一樣的解饞，就趁便到市場買一把回來，大快朶頤吧！

原文刊載於二〇一九年五月二十七日《蘋果網路論壇》

期待可以「膾炙人口」的漁業政策

參加國民黨總統初選的鴻海集團董事長郭台銘，日前訪問臺東，透露他的好朋友蘋果執行長庫克（Tim Cook）最愛吃的魚就是「鬼頭刀」，但臺灣卻沒有許多人吃過牠、看過牠。

其實，鬼頭刀是臺灣東部漁民重要經濟漁種，也是臺灣重要的外銷漁產品之一，臺灣鬼頭刀產量位居全球第四名，其中九成以上都出口國外，年出口總值近二十億。臺灣人習慣吃口感較鮮嫩的魚，外國人卻喜歡把魚做成魚排來吃，而鬼頭刀烹飪以後就會喪失原味，不夠鮮嫩，因此無法滿足饕客的口腹之欲，不那麼膾炙人口，所以臺灣人比較不喜歡，因此捕獲的鬼頭刀魚就幾乎都外銷。

比喻美妙的詩文或事務為人所讚賞，我們常用「膾炙人口」這個成語，但是你知道「膾」的原來意思是指切細的生肉，「炙」是指燒烤的肉嗎？其實兩者都是佳餚、美食。這個成語出自《孟子．盡心篇》。

曾子的父親曾皙喜歡吃「羊棗」（一種植物），因此曾子在父親死後就不再吃「羊棗」。孟子的學生公孫丑就問孟子：「膾炙和羊棗比起來，那一樣好吃（膾炙與羊棗，孰美）？」孟子回答說：「當然是生的或燒烤的細肉好吃（膾炙哉）！」公孫丑又問：「既然膾炙好吃，那麼曾子為什麼不是不吃膾炙，而是不吃羊棗呢（然則曾子何為食膾炙而不食羊棗）？」孟子回答說：「膾炙好吃，是大家都喜歡的美食；羊棗比不上膾炙，但只有曾皙特別喜歡吃，曾子害怕看見羊棗，睹物思人，就想起自己的父親來，所以不吃羊棗（避諱）（膾炙，所同也；羊棗，所獨也）。」這個故事凸顯膾炙人口其實原來是指美味的食物，人人都愛吃呀。

臺灣四面環海，海鮮魚獲資源豐富，加上冷凍保鮮技術的進步，海水魚製成的美味鮮美生魚片，已逐漸為國人所喜愛，從路邊攤、餐廳，到婚宴會館，生魚片都是餐桌上少不了的佳餚之一，它是「庶民」的菜餚，不是「權貴」特有的食物。將魚肉切成薄片（生魚片）的方式，古時稱為「魚膾」。《論語・鄉黨》中，孔子說：「食不厭精，膾不厭細。」常被餐飲界在許多場合引用，意指生肉切得越細越好吃。中國歷史上有二位大詩人都很喜歡吃生魚片，二位都是唐朝人，一位是詩仙李白，另一位是詩聖杜甫。

李白有一首〈酬中都小吏攜斗酒雙魚於逆旅見贈〉描寫吃生魚片的詩，當時李白在魯中做客，住在旅館裡，詩的前段描寫中都小吏帶來美酒及二條生產於汶水的赤鱗魚，贈給異鄉遠來的李白及二人互相顧惜的真摯情誼：「魯酒若琥珀，汶魚紫錦鱗。山東豪吏有俊氣，手攜此物贈遠人。意氣相傾兩相顧，斗酒雙魚表情素。」中段描述殺魚、做生魚片的生動過程：赤鱗魚吞吐雙鰓，背鰭及腹鰭都張開起來，發出呀呷的聲音，在盤中激烈地翻滾著，差點跳出銀盤外（這二條魚既鮮活又生猛）；招呼孩子擦淨桌子，用磨得飛快的刀宰魚，快速將魚肉切成薄片，紅的如同花落的瓣片，白的如雪的魚片呈現在眼前（雙鰓呀呷鰭鬣張，撥刺銀盤欲飛去。呼兒拂幾霜刃揮，紅肌花落白雪霏）；末尾則是期待小吏能開懷暢飲，然後著鞍上馬，酣醉地歸去（不會有酒測）（為君下箸一餐飽，醉著金鞍上馬歸）。這首詩的鮮魚生魚片與美酒體現了李白與小吏的真摯友情。

詩聖杜子美寫過許多和魚相關的詩，其中最有名的一首是〈閿鄉姜七少府設膾戲贈長歌〉，這是杜甫描寫路過河南的閿鄉，一位做縣尉的友人姜七讓廚師當場製作魚膾款待他吃生魚片的情形。「……饔人受魚鮫人手，洗魚磨刀魚眼紅。

無聲細下飛碎雪，有骨已剁嘴春蔥。落砧何曾白紙濕，放箸未覺金盤空……」大意是說魚剛從河中撈上來，非常新鮮（眼睛還是紅的），廚師嫻熟地洗淨魚身，磨快廚刀，開始把魚切成又細又薄的魚片，在刀下無聲飛舞如同細雪，生魚片切好，所配的蘸料有剛切好的春蔥碎末，魚肉新鮮堅實出水少，連砧板上墊著的白紙都沒打溼，生魚片太好吃了，不知不覺整盤都被吃光了。這首詩描寫做魚膾的場景傳神而細緻，這頓飯，杜甫吃得可真痛快淋漓。詩讀到此，讀者們，你有垂涎欲滴嗎？

鬼頭刀魚以外銷為主，隨著國際永續利用概念的日漸被重視，許多國外的大型超市都只願收購具有永續生態漁業認證的漁獲，政府已於二〇一五年鼓勵漁民將鬼頭刀魚加入國際漁業改造計畫（Fishery Improvement Project, FIP），讓鬼頭刀有較好的價格外銷國際市場。其實永續概念，自古有之，《孟子・梁惠王》：「數罟不入洿池，魚鱉不可勝食也。斧斤以時入山林，林木不可勝用也。」意思是說：不要讓過於細密的魚網進入水中捕撈，魚鱉就吃不完；斧頭按照一定的時節，才允許進入山林，林木就用不完。這就是孟子強調人類利用自然資源時，應有適當地節制，不可以竭澤而漁，任性自由地過度捕撈，斲喪物種，不可以濫砍濫伐，應適度地讓大地萬物休養生息，才能增加使用年限，保護自然資源。

臺灣是漁業捕撈大國，理應遵守國際漁業規範，可惜的是臺灣曾遭國際綠色和平組織舉發遠洋漁業涉嫌非法（illegal）、未報告（unreported）和無管制捕撈（unregulated）的行為（IUU fishing），簡單地說就是過度捕撈，且未履行國際義務。

歐盟執行委員會於二〇一五年十月對臺灣遠洋漁業舉黃牌（正式警告），將臺灣列為打擊非法捕撈不合作國家，若於指定時間內未能改善，以達國際標準，即列入紅牌，會被施以一系列制裁，包括禁止臺灣水產品出口至歐盟。從二〇一五年以後，歐盟每半年都派員來臺灣觀察，時至今日已三年，黃牌尚未被解除，南韓也曾被處以黃牌，但在兩年內即被解禁，依此看來，漁政單位對於《漁業法》、《遠洋漁業條例》等重要漁業法規的執行力應更加強落實，以避免遭到貿易制裁，影響漁民生計，那損失可就難以估計。

原文刊載於二〇一九年六月九日《蘋果網路論壇》

鳳凰于飛的窈窕淑女林志玲

萬眾矚目的四十四歲「臺灣第一名模」林志玲的感情，終於有圓滿結果，她在六月六日宣布與小她七歲的日本「放浪兄弟」成員AKIRA（黑澤良平）登記結婚，她的無預警登記結婚，震驚亞洲演藝圈，是上週令各方驚喜的娛樂新聞，林志玲在社群網站上親自發布與老公的合照，新婚欣喜之情，溢於言表。消息傳出似乎也讓各界驚訝不已，蔡英文總統被問到林志玲閃婚時說：「我祝她新婚快樂，幸福永遠。」

窈窕淑女，君子好逑。具有美麗的容貌與高貴氣質的美女，總是讓男人傾倒愛慕，她們的一舉一動也總是眾所關注的焦點。不同時代、不同國家、不同地域審美觀點不同，談到美女讓我想起《詩經・衛風・碩人》對美女刻畫淋漓的一首詩歌：「手如柔荑，膚如凝脂，領如蝤蠐，齒如瓠犀，螓首娥眉，巧笑倩兮，美目盼兮。」意思是說姑娘要稱得上美女，她的纖纖玉手要像初生的茅芽，白而柔嫩；她的皮膚要白潤，如凝結的脂肪般光滑；她的頸子要修長，白如蝤蠐（天牛的幼蟲）；她的牙齒要整齊，白如瓠瓜的種子；她的額頭要寬闊，眉毛要細細彎彎像蛾的觸鬚細長；她笑起來的時候，朱唇微啟，雙頰嫵媚，眼睛黑白分明。

宋玉是戰國時代楚國繼屈原之後的文學家，他的〈登徒子好色賦〉中有一段描繪美女的詞句，也是歷來被視為展示女性之美的經典文句：「東家之子，增一分則太長，減一分則太短；著粉則太白，施朱則太赤；眉如羽翠，肌如白雪；腰如束素，齒如含貝；嫣然一笑，惑陽城，迷下蔡。」

大意是說：東鄰的美女，增加一分則顯得太高，減少一分則顯得太矮；抹粉則顯得太白，塗胭脂又顯得太紅；眉毛如翡翠鳥的羽毛，色亮而有光澤，肌膚白皙如冬雪，纖腰如束絹細柔，牙齒潔白整齊如海貝；甜美嫵媚的笑容，把陽城、下蔡之地的顯貴公子迷得神魂顛倒。

中國歷史上的四大美女，人們分別以沉魚、落雁、閉月、羞花來形容西施、王昭君、貂蟬、楊玉環的絕代芳姿。西施是春秋時代越國的美女，她在河邊浣紗時，清澈的河水，倒影著她美麗的倩影，河中的魚，看見她的倒影，被她吸引而忘了游水，漸漸沉到河底，這就是「沉魚」的故事。

西漢元帝時為安撫北匈奴，選王昭君與單于結成姻緣（和親政策），王昭君告別家鄉，路過大漠，悲從中來，撥動琴弦，忍不住彈起〈出塞曲〉，空中大雁聽見幽怨的曲調，又見到姑娘美麗的容貌，不禁忘了擺動翅膀，掉落了下來，這是「落雁」的由來。貂蟬是漢獻帝的大臣司徒王允的歌妓（後來認做義女），有一晚，貂蟬在後花園拜月時，忽然輕風徐來，有一片浮雲把皎潔的明月遮住，剛好被王允看見，王允為誇讚其女之美，逢人就說，我的女兒和月亮相比，月亮比不過，趕緊躲在雲彩後面，這是貂蟬被稱為「閉月」的由來。

唐朝開元年間楊玉環被選進宮，悲嘆自己的命運，有一天到花園賞花散心，對著盛開的花說：「花呀！花呀！妳每年都有盛開之時，我在深宮裡，何時才有出頭之日？」一聲淚俱下，她剛一摸花，花瓣收縮捲起低下。（她摸到含羞草吧！）這一幕被宮女看見，就到處說楊玉環和花比美，花兒都自嘆弗如含羞低下了頭「羞花」，不久之後，羞花之事傳到唐玄宗耳裡，即召楊玉環進宮見駕，果然美貌絕倫，驚為天人，不久即將她升為「貴妃」。

我們恭喜黑澤良平「雀選中選」為林家女婿，男子被選中做人家的女婿，我們都恭賀他「雀屏中選」，這是有典故的。唐朝有位名竇毅的刺史，他的女兒相貌美麗，氣質、學識非凡，他認為女兒如此優秀，怎能隨便嫁人，於是就請人在屏風上畫了兩隻孔雀，讓上門求親的公子連射兩箭，暗中約定射中孔雀二隻眼睛的人，即把女兒許配給他（潛約中目者許之）。前後數十人都沒射中眼睛（孔雀的眼睛很小），後來李淵來到，連發二箭，各射中了孔雀的一隻眼睛，竇毅大喜，便把女兒許配給了李淵，李淵後來成為唐朝開國皇帝（唐高祖），竇毅的女兒也當上了皇后，這就是「雀屏中選」典故的由來。

黑澤良平被林志玲征服，拜倒在她的石榴裙下，抱得美人歸。石榴原產在波斯，是通西域的張騫將石榴引進中原。農歷五月正是石榴花開最艷麗的季節，「五月榴花紅似火」，在文學上石榴紅成了鮮紅色的代名詞，「萬綠叢中一點紅，動人春色不需多。」是王安石〈詠石榴花〉詩中的句子，所說的一點紅正是石榴花；而「石榴裙」就是鮮紅色的裙子，在唐朝是年輕女子流行的服飾，穿著起來顯得格外俏麗、風姿綽約、嫵媚動人。白居易〈琵琶行〉中有一段：「五陵年少爭纏頭，一曲紅綃不知數。鈿頭銀篦擊節碎，血色羅裙翻酒污。」其中的「血色羅裙」就是石榴裙。

傳說楊貴妃喜歡觀賞石榴花，吃石榴，也喜歡穿石榴裙，唐明皇投其所好，廣泛栽種石榴，朝中大臣對導致「從此君王不早朝」的楊貴妃非常不滿，對她拒不施禮，有一天唐玄宗設宴款待群臣，楊貴妃趁端酒送到唐明皇唇邊，向他告狀，說這些臣子對她都不恭敬，唐明皇聽了馬上就命令大臣，見到楊貴妃必須施禮下跪，於是就有了「拜倒在石榴裙下」的美麗傳說流傳至今。

我的學生出嫁時，我都會在紅包袋上題字：「桃之夭夭，灼灼其華，子之于歸，宜其室家」，這是《詩經・周南・桃夭》描述三月桃花盛開時，祝福女子出嫁獲得圓滿歸宿的情景，筆者也以這首詩歌祝福新婚的林志玲小姐。鳳凰是中國歷史上祥瑞的靈鳥，雄鳥是鳳，雌鳥是凰，我們也祝福這對夫妻的姻緣美滿，有如「鳳凰于飛」。閩南語中常稱呼自己的妻子為「牽手」，象徵夫妻二人手牽手，互相扶持，同甘共苦過一生，這就是《詩經・邶風・擊鼓》所說的「執子之手，與子偕老」，祝福她們。

原文刊載於二〇一九年六月十四日《蘋果網路論壇》

從私菸案看小問題如何醞釀大危機

蔡英文總統拚連任，趕在總統大選開打之前，於七月十一日至二十二日率團訪問海地、聖克里斯多福及尼維斯、聖文森國，及聖露西亞等加勒比海友邦國家，訪問行程中，並過境美國紐約及丹佛，展開為期十二天的「自由民主永續」之旅，蔡總統於二十二日返抵國門，並在桃園機場發表談話，說明此行收獲，除了讓世界看見臺灣外，也更深入了解友邦與臺灣的合作關係及情誼，而臺美關係也透過此行更加深化。

就在蔡總統向國人報告出訪成果之際，卻鬧出國安特勤人員利用總統專機出入境不需安檢之禮遇，涉嫌走私攜帶九千多條免稅菸品，金額高達六百多萬元，舉國關注，輿論沸沸揚揚，私菸案簡直抹殺了總統出訪的成果，蔡總統為此事向國人道歉，並指示「未來訪團隨員回國行李通關，除涉及國安機敏事宜之外，均應賦予海關權責，比照一般旅客規定進行查驗」，同時也當機立斷讓國安局局長及總統府侍衛長去職。

柳宗元是與白居易同一時期的大詩人及大文學家，他的詩作：「千山鳥飛絕，萬徑人蹤滅。孤舟蓑笠翁，獨釣寒江雪。」一千百年來一直膾炙人口，是人們可以朗朗上口的。他也是寫寓言故事的高手，他有一首〈永某氏之鼠〉的寓言故事，大意是說永州地區有一個人，平日對事物很講究禁忌（拘忌異甚），他的生年正好是子年，而鼠是子年的神，因此就很愛老鼠。他的家裡不養貓狗，而且也不許奴僕打老鼠（禁僮勿擊鼠），家裡的糧倉和廚房都任老鼠糟踏，恣意橫行，全不過問（倉廩庖廚，悉以恣鼠，不問）。

於是，老鼠就互相轉告，都來到這人的家裡，天天吃得飽飽的，也沒有什麼危險（鼠相告，皆來某氏，飽食而無禍）。結果，這人家裡沒有一件完整的傢俱，衣架上沒有一件完好的衣服，吃的喝的大多是老鼠吃剩的東西（室無完器，椸無完衣，飲食大率鼠之餘也），老鼠大白天成群結隊跟人一同行走，到了晚上就偷咬東西，打打鬧鬧，發出的聲音千奇百怪，鬧得人不能入睡，但這人始終不聞問，一點也不覺得厭煩（晝累累與人兼行，夜則竊齧鬥暴，其聲萬狀，不可以寢，終不厭）。

幾年後，這個人搬到別州去了，新主人搬進來之後，老鼠仍然像過去那樣猖狂，新主人說：「這些躲在陰暗角落的壞傢伙，為什麼猖狂到這樣的地步呢（是陰類惡物也，盜暴尤甚，且何以至是乎哉）？」於是新主人借來五、六隻貓，關起門來，撤掉屋瓦，用水灌洞，並出錢僱人圍捕老鼠，這一來，捕到的老鼠堆積如山，把牠們丟到偏僻的地方，臭味好幾個月才消失（假五六貓，闔門撤瓦，灌穴，購僮羅捕之，殺死如丘，棄之隱處，臭數月乃已）。唉！那些老鼠還以為可以永遠吃得飽飽毫無災禍（嗚呼！彼以其飽食無禍為可恆也哉）呢！

國安特勤人員利用總統專機出訪涉嫌走私菸品，創下桃園機場查緝私菸的紀錄，根據華航公布的資料，陳水扁任內總統專機六次出訪，共購入兩千一百七十一條菸；馬英九任內總統專機十四次出訪，共購入一萬三千三百九十二條菸；蔡英文任內總統專機六次出訪，共購入二萬六千六百六十八條菸。

從每次出訪夾帶菸品數據來看，都是從夾帶小量香菸開始，屢次得逞後，夾帶量才一路增加，本次狂飆破萬，情況特別嚴重，顯見夾帶菸品是多年積弊陋習，暴露出國安特勤人員紀律蕩然，目無法紀，漏洞沒人管，內部防弊機制失能，這是導致弊案關鍵，就像柳宗元文中，因主人屬鼠而愛鼠，不畜貓犬，又

「禁僮不擊鼠」，如此縱容群鼠才是導致群鼠猖狂的關鍵。

國安特勤人員抓住僥倖獲得的機會，有恃無恐，肆無忌憚地胡作非為「竊時以肆暴」，以為能夠「飽食而無禍」，讓人深惡痛絕。

事發後，當局當機立斷，表現了不護短的態度，讓國安局局長及總統府侍衛長去職，期待新的國安特勤首長，能立下制度，從根本上杜絕弊端；就像寓言中，新的主人，來居伊始，即「假五六貓，闔門撤瓦，灌穴，購僮羅捕之」，從根本上杜絕鼠患。

北宋時有一名常州太守名叫田登，他很忌諱別人直稱他的名字（不許別人說「登」字），如果有人冒犯，他一定會發怒，屬吏如果不小心觸犯了太守的忌諱，就會被鞭打（吏卒多被榜笞）。

所以全州的人都把「燈」說成是「火」（為了避諱太守，因為「登」與「燈」諧音），當元宵節到來要放元宵花燈，官員所寫的告示牌高高掛在街上，上頭寫著：「本州按照慣例，放火三天（本州依例，放火三日）。」

故事中的太守，對於手下的欺壓與蠻橫的嘴臉，可以想見；小吏的畏事，甚至連「放火」這樣的字眼也敢寫在告示牌上。這個故事是南宋愛國詩人陸游（陸放翁）所寫，後人將故事擬煉為「只許州官放火，不許百姓點燈」。其實州官不是放火，而是點燈；百姓也不是不准點燈，而是不准說燈。

出國旅遊免不了帶些伴手禮與紀念品回來，臺灣海關對於入境的規定算相當嚴格，滿二十歲成年人，每人最多只能攜帶兩百支菸（一條菸），如果要多帶，需要走應申報櫃檯，向海關申報（最多一千支而已），這是有出國旅遊經驗的人都知道的常識，國安特勤人員為所欲為，享有夾帶菸品的特權，多數訂購五十條到一百條，甚至有一人訂購一千條以上，出國時本應攜帶出境卻允許存放保稅倉庫，根本沒上飛機，回國後再公開提取入關，縱容自己的行為，對平民百姓卻要求嚴格，做種種限制約束，兩相對照，怎能不引起民怨呢？這也難怪事發後，百姓會忿忿地說：這不就是「只許州官放火，不許百姓點燈」的雙重標準嗎？

國安特勤私菸案已進入司法調查階段，總統府宣示全面徹查到底，並全力配合司法調查，不會迴避也沒有護短的問題，對於本案的真相，國人都在等待檢調迅速查明，給國人做個交待，我們期待真相早日水落石出。

「物必自腐，而後蟲生」，這是個經驗法則，這句話表達了禍難本身是有跡可尋的。「冰凍三尺，非一日之寒」，結冰厚達三尺，是需要長時間的積累醞釀，人事的變調腐壞，往往也是由本身的小問題逐漸醞釀而成的，對於本案，當局唯有誠實面對，採取行動對策，讓弊端未來不再發生，才能彌補及挽回已釀成的傷害及損失，這乃是上策。

原文刊載於二〇一九年八月七日《蘋果網路論壇》

郭台銘送給柯文哲的月餅

白露是二十四節中的第十五個節氣，也是秋天中的第三個節氣，每年在國曆九月七日至九日之間，今年的白露是九月八日。白露以後天氣逐漸轉涼，寒氣逐漸加重，清晨時分，在地面和葉子上的露水，一天比一天的加厚，凝結成白色水滴，所以稱為「白露」（陰氣漸重，露凝而白也）。

白露是自然的現象，主要因日夜溫差大，夜晚水氣受寒後在地面上凝結而成的白色水珠。白露之後，我們開始感覺到炎熱的夏天已過，而涼爽的秋天早已到來（涼風至，白露降），節氣的天候變化予人深刻的感受，鳥類的感應最明顯，候鳥開始遷移過冬。

《禮記・月令篇》對白露節氣鳥類生態有這樣的記載：「鴻雁來，玄鳥歸，群鳥養羞。」意思是說：當白露時北方河川湖泊開始封凍，鴻雁自北南飛；玄鳥是燕子，與鴻雁恰巧相反，是一種春日南來，秋日北歸的候鳥，我們常說燕子到來，春天還會遠嗎？白露以後，眾鳥紛紛開始貯藏乾果準備過冬食物。

杜甫在白露這一天，寫下一首〈月夜憶舍弟〉的詩，寫作此詩時，他和三位弟弟（杜豐、杜觀、杜穎）因兵連禍結而分散逃離，音訊全無。大意是說駐守邊境戍樓上的禁鼓一響，此時宵禁戒嚴時間已到，路上看不到行人的蹤影，荒涼邊城的秋空上，寂靜中只聽到孤雁的哀鳴，從今夜起進入白露的節氣，霜露將分外的潔白，這塞上的風光雖然明亮，但還是覺得故鄉的月更為圓亮（戍鼓斷人行，邊秋一雁聲。露從今夜白，月是故鄉明）。我有幾個弟弟，如今皆因戰亂而分散，失去了家園也不知去哪裡探詢他們的生死，遠隔千里，即便是寄信回去，也常常無法送達，更何況眼下戰事未平（有弟皆分散，無家問死生。寄書長不達，況乃未休兵）。杜甫的這首詩，大家耳熟能詳，詩點出了白露節氣景象，一過白露節氣，中秋明月夜也就近了。

農曆八月十五日，是傳統的中秋佳節，這是一年秋季的中期，所以被稱為中秋，八月十五的月亮比其他幾個月的滿月更圓更明亮，所以又叫做「月夕」、「八月節」。八月也稱「桂月」，因為正是皎潔如月的桂花盛開的時節（桂華秋皎潔）。桂月讓人想起「吳剛伐桂」的中秋節傳說故事，相傳月亮上廣寒宮前有棵五百多丈高的大桂樹，樹下有一個人不停地砍伐桂樹，但每次砍下去後，被砍的地方又立即合攏，這棵樹永遠也不能砍光，據說那個砍樹的人叫做吳剛，他曾跟隨仙人修道，到了天界，但是犯了錯誤，仙人把他貶謫到月宮，日日做這種徒勞無功的苦差事，以示處罰，這個傳說美麗的像一個只屬於童年的夢，飄茫而不可捉摸。

有一個「蟾宮折桂」的成語值得順道一提。晉武帝時，吏部尚書舉薦郤詵當左丞相，後來郤詵當雍州刺史，晉武帝問他對自我的評價如何（卿自以為如何）？他說：「我就像月宮裡的一段桂枝，崑崙山上的一塊寶玉（臣舉賢良對策，為天下第一，猶桂林之一枝，昆山之片玉）。」晉武帝聽了大笑並嘉許他，從此「蟾宮折桂」便成為科舉成名考中進士的代名詞。

唐代大詩人白居易先考中進士，他的堂弟白敏中後來考中了第三名，白居易寫詩祝賀說：「折桂一枝先許我，穿楊三葉盡驚人。」中國歷史上有多少文人十年寒窗苦讀，廢寢忘食，就等著金榜題名，為了「蟾宮折桂」的絢爛。

和端午節的粽子一樣，月餅也成了中秋節的一個表徵。民間流傳著中秋月餅的故事，你知道嗎？中秋節吃月餅相傳開始於明朝，當時漢人不能忍受元朝的殘酷統治，紛紛起義抗元，但元朝官兵搜查甚嚴，朱元璋的起義軍傳遞訊息相當困難，他的軍師劉伯溫妙想一策，就是將寫有「八月十五殺韃子」的紙條藏入餅子裡，再派人傳送到各地起義軍中，通知他們八月十五日晚上起義響應，到了那天各路起義軍如星火燎原一齊響應，很快起義就成功推翻了韃子的暴政，朱元璋高興地在即將來臨的中秋節，讓全體將士與民同樂，並將當年起義用以秘密傳遞訊息的「月餅」作為節令糕點犒賞群臣，這段傳說雖然很難獲得史家的認同，卻給月餅平添了一段慶祝象徵推翻異族統治的節日佳話。

郭台銘參與二〇二〇總統大選的消息一直議論紛紛甚囂塵上，外傳郭台銘將於中秋節連假後正式宣布參與明年總統大選，臺北市長柯文哲日前接受訪問時幽默地說：「自己還沒收到月餅，再看月餅有沒有藏字條。」

郭台銘的幕僚也表示：「我們真的會送一盒月餅給他，並符合他的期待，裡面有一張紙條。」這是送月餅作為中秋起義的暗號，只是這次的起義不是殺韃子，而是宣布參選總統，二〇二〇年拉下蔡英文總統。

月餅又叫「團圓餅」，中秋節這天吃月餅，有以圓圓的月餅來象徵團圓的意義：天上的月是圓的，月餅也是圓的，所以中秋節這天，在外地工作的人，通常要趕回家過中秋節，吃團圓餅，如果家人在外未歸者，也要把他的一份月餅留著（放到冰箱也不會壞），等他回家團圓時吃。

說到中秋節就得談月亮。月亮是古代詩人最偏愛的一個意象，以明月為主題的詩句俯拾即是。「床前明月光，疑是地上霜。舉頭望明月，低頭思故鄉。」（李白〈靜夜思〉），這是床前的月；「花間一壺酒，獨酌無相親，舉杯邀明月，對影成三人。」（李白〈月下獨酌〉），這是花園裡的月，李白是最喜歡月亮的詩人，如果沒有月光，可能就沒有李白，稱他為「月亮詩人」也不為過。「月出驚山鳥，時鳴春澗中。」（王維〈鳥鳴澗〉），這是山裡的月。不過最經典的中秋詩詞，莫過於蘇試的〈水調歌頭〉：「明月幾時有？把酒問青天。……轉朱閣，低綺戶，照無眠，不應有恨，何事長向別時圓？人有悲歡離合，月有陰晴圓缺，此事古難全。但願人長久，千里共嬋娟。」

這首詠月的詩，是蘇軾在中秋夜，歡飲達旦，酩酊大醉後，當著皓月發抒情感的不朽詞篇，是歷代公認的秋詞中的絕唱。詞的下半段寫清澈明淨的月光，照著人無法入睡，月亮不該對人間有什麼怨恨吧？為什麼總是在人們離別、孤獨的時候，月亮特別圓亮呢？讓人感嘆「月圓人不圓」。

人生本來就是聚聚散散，這是人間常事；月亮從來就是圓圓缺缺，這是自然規律，永恆地相聚圓滿，自古就不可得，所以蘇軾最後最後發抒了「但願人長久，千里共嬋娟」，這是蘇軾懷念遠在千里外的弟弟蘇轍，大意是說：但願我們兄弟倆都能保重身體，即使不能歡聚在一起，也可以在異地他鄉共賞明月。

後天就是中秋節，月到中秋分外明，每逢佳節倍思親，今年能和親人團圓是件好事，不能團圓，也別忘了蘇軾的名句「但願人長久，千里共嬋娟」。祝《蘋果網路論壇》的讀者，大家中秋快樂！

原文刊載於二〇一九年九月十一日《蘋果網路論壇》

扭轉氣候變遷，不能光說不練

每年八、九月是臺灣龍眼盛產的季節，現在已十月初，在市場上尚未看到龍眼上市，原因是今年年初暖冬少雨，龍眼樹只吐芽不開花，又受荔枝椿象蟲害侵襲，導致今年龍眼產量銳減，全臺龍眼產量減產九成以上，全臺龍眼最大產區臺南東山區，烘焙龍眼乾的作業被迫停擺，果農只能放「無薪假」，南投縣中寮鄉已經連辦十六年的「龍眼文化季」也差點因沒有新鮮的龍眼可賣而險停辦，臺灣的農業已然面臨氣候變遷嚴峻的考驗。

龍眼與荔枝、香蕉、鳳梨同為華南四大水果。有荔枝的地方就有龍眼「出荔枝處，皆有之」，只是龍眼多在荔枝收成過後才開始成熟上市，又不如荔枝紅豔奪目，因此有「荔枝奴」之稱。龍眼與荔枝都是漢唐皇帝賜給外來使節的禮品（《東觀漢記．南匈奴單于傳》：「南單于來朝，賜御倉及橙、橘、龍眼、荔枝。」）因此屬名貴果品。

荔枝因為楊貴妃對它情有獨鍾，因此在中國文學作品上聲名大噪，杜牧的詩：「長安回望繡成堆，山頂千門次第開。一騎紅塵妃子笑，無人知是荔枝來。」描寫唐玄宗時將嶺南的荔枝用驛馬兼程送到長安的情景，寫的真好。龍眼因缺少荔枝與楊貴妃這樣子的故事而相形遜色。

蘇軾被貶到廣東惠州時，嚐到嶺南的荔枝，曾寫過：「日啖荔枝三百顆，不辭長作嶺南人。」詠嘆荔枝的詩句，顯見他對荔枝是百吃不厭的。後來他又被貶到廉州（廣西合浦），嚐到廉州的龍眼後也讚不絕口，覺得龍眼可與荔枝相匹敵，寫下一首〈廉州龍眼質味殊絕可敵荔支〉之作，大意是說龍眼與荔枝是同源兄弟，就像柑與橘一樣，從外表看，難以特別分出來（龍眼與荔枝，異出同父祖。端如甘與橘，未易相可否）；龍眼很奇特，就像仙境中西海與玄圃裡種植的仙樹一橡，它的果實累累就像桃李成串一樣，果實滋味甜美（異哉西海濱，琪樹羅玄圃。累累似桃李，一一流膏乳）；真的懷疑它是否是天上隕落下來的流星，但又好像是合浦當地的真珠；相關的典籍未提到它，它也未曾被提及為美食（生疑星隕空，又恐珠還浦，圖經未嘗說，玉食遠莫數）；只有荔枝出盡風頭被傳誦，龍眼的色味不敢與荔枝相匹，龍眼生長在蠻荒之地，但這不是它的恥辱，反而因此可以避免被宮廷妃子玷汙（獨使皺皮生，弄色映瑚俎。蠻荒非汝辱，倖免妃子汙）。蘇軾不僅對龍眼的果實讚賞有佳，也為龍眼感到慶幸，認為它可免於被妃子玷汙。看來，蘇東坡先生其實真的是很喜歡吃龍眼的。

曬乾的龍眼果實又名「桂圓」，有一個傳說的故事，你聽過嗎？相傳福建蒲田縣有一條蛟龍常興風作浪，導致滔滔大水淹沒千里良田。村裡有名叫做桂圓的少年，他父母兄弟全都被蛟龍害死了，他誓死為民除害、為家人報仇。

有一天桂圓與蛟龍決戰，桂圓一劍把它刺死了，蛟龍死後，桂圓挖出它的二顆眼睛，準備帶回去祭拜被害死的鄉親父老兄弟，村裡的人都敲鑼打鼓出來迎接桂圓，官老爺看到桂圓手裡有二顆龍眼，喊說：「龍眼龍眼，吃了成仙；寶貝寶貝，收來歸官。」隨後便示意差役去把龍眼搶過來，桂圓急中生智，吞下一顆龍眼，另一顆因來不及吞下，被搶走了。突然間，烏雲密布，桂圓變成一條龍，乘雲而去，官老爺嚇得把搶來的那一顆龍眼掉在地下，而且一下子就不見了。

第二年春天，龍眼掉下的地方長出一棵樹，開了像桂花似的花朵，到了夏天，結出了串串的果實，剝開後，晶瑩剔透的果肉內有一個黑色的核，與龍的眼睛很相像，因此就把這種果樹叫做「龍眼樹」，又為了紀念桂圓為民除害，就把曬乾的龍眼果稱為「桂圓」。

聯合國世界氣象組織（WMO）最近公布相關報告，指出全球暖化的跡象及影響正持續加速擴大，二〇一五至二〇一九年的全球平均溫度是有紀錄以來的最高溫，比二〇一一至二〇一五年這段期間，高出攝氏〇・二度，大量的二氧化碳排放是最主要的原因，近五年的排放量比上個五年增加近20%，影響所及讓海平面顯著上升。

聯合國鑒於氣候變遷日漸惡化，於九月二十三日在紐約召開「氣候行動峰會」，討論全球暖化的危害與因應之道。這幾年極端氣候已不再是抽象名詞，世界各國均受嚴重衝擊，這已是一場沒有人是局外人的氣候戰爭，臺灣當然也深受其害。在臺灣，極端氣候發生的頻率日增，強度日益變大，農業首當其衝，農損有升高趨勢。

舉例來說，今年年初的暖冬，導致荔枝與龍眼開花率不到以往二成，產量減少，影響所及，不僅民眾沒有新鮮的龍眼荔枝可品味，更使蜜蜂採不到龍眼荔枝的花蜜，蜂農叫苦連天，這些都是有連帶關係的。

臺灣是颱風、豪雨等災害發生頻率很高的地方，極端天氣已不是偶然出現，而是年年發生，臺灣都會區近百年升溫幅度是全球平均的兩倍，「發燒」比它國更嚴重，政府有必要常態化地擬定各項調適策略，以降低極端氣候對農業的衝擊。

另一方面，在極端氣候與環境汙染嚴重的態勢下，各國陸續投入發展綠色經濟以解決環保問題，政府對能源管理、環境汙染等綠能科技產業的政策與發展，更應加速腳步，以迎頭趕上世界潮流。氣候變遷已到了關鍵時刻，就如聯合國秘書長古特雷斯說：「現在不是坐而言的時候，必須起而行。」光說不練，沒有採取必要的行動遏止暖化，根本達不到全球需要的急遽改變，身為地球村的一員，臺灣現在積極做還沒太晚。

原文刊載於二〇一九年十月三日《蘋果網路論壇》

重陽敬老應首重老人健康

昨天農曆九月九日是重陽節，你知道它的由來嗎？重陽節的由來，主是《易經》把一三五七九視為「陽數」，把二四六八定為「陰數」，九月九日，日與月都逢九，兩個九相重，故曰「重九」，同時又是二個陽數在一起，故稱「重陽」。

九在數字中是最大數（數之極），又與「久」諧音，「九九」即「久久」之意，因此「九九」、「重陽」有長久長壽之含意。重陽節因此發展成「敬老節」。內政部於一九七四年為了弘揚「敬老尊賢」的傳統，特別將重陽節定為「敬老節」，希望能喚起民眾對年長者的關懷，營造溫馨的社會，做好老人福利政策，自此之後重陽節在各地都有官方的「崇老敬老」、「銀髮關懷」、「重陽敬老禮金發放」及「敬老福利服務」的活動。

談到重陽節就不得不提一首膾炙人口的唐詩：王維的〈九月九日憶山東兄弟〉。這是王維在十七歲時，獨自在長安過重陽節時所作：「獨在異鄉為異鄉客，每逢佳節倍思親。遙知兄弟登高處，遍插茱萸少一人。」大意是說我獨自漂泊在外成了異鄉客，逢年過節更是思念故鄉的親人，今日正逢重陽佳節，身在遠處的我，遙想家中兄弟們一定都去登山了，他們全都佩戴著茱萸，而兄弟中卻獨少了我！這首詩流露出王維與兄弟彼此相憶的手足深情，同時也說明重陽節有登高、佩戴茱萸的風俗。這首詩也成了表達思鄉情感的格言式佳句，王維在二十一歲時就考中進士，也是理所當然的事了。

古人的登高、插茱萸的習俗，其實是為了避邪。據說東漢時，汝南人桓景跟隨方士費長房學習，有一天費長房告訴桓景說：「九月九日那天，你家裡會有災禍發生，你趕快回去，叫家人縫製錦囊，裡面裝入茱萸，然後繫在手臂上，再一起登山，喝菊花酒，如此才可消災解厄。」桓景依照費長房所言去做，全家九月九日去登山，直到傍晚才回家，回到家後看到家中的雞、犬、牛、羊等全都暴斃，無一倖存。費長房聽到後說：「桓景一家人的災難是可避免的，這些都是替死鬼。」古人於重陽節登高飲酒，臂上佩戴茱萸，即始於此。

農曆九月正是菊花盛開的季節，所以九月又稱「菊月」，自古以來，菊花就是重陽佳節最重要的應時花卉，孟浩然〈過故人莊〉即說：「待到重陽日，還來就菊花。」菊花有很多顏色，但以黃色為多，因此菊花又稱「黃花」。我們常比喻過時的事物為「明日黃花」，就像我這篇文章一定要趕快發表，否則離重陽節太久，就將成為明日黃花，無人有興趣了。

菊花於寒露節氣後盛開，因不畏秋霜，古代文人以其不畏寒霜的特性代表高潔隱逸。周敦頤的〈愛蓮說〉稱菊花為「花之隱逸者也」；屈原在其〈離騷〉中說：「朝飲木蘭之墜露兮，夕餐秋菊之落英。」意指早晨飲用木蘭花上滴滴的露水，傍晚咀嚼秋菊飄落的花瓣，可見菊花在屈原心目中的地位。

周敦頤說過：「水陸草木之花，可愛者甚蕃，晉陶淵明獨愛菊……。」陶淵明生平有二大嗜好，即愛菊與嗜酒，他「不為五斗米折腰」辭官歸故里後，住宅的屋前屋後，種滿菊花，清香四溢，有一天傍晚，他在屋子東邊的籬笆下，悠閒地採著菊花，抬頭仰望，看見遠方的廬山，恰好盡入眼簾，廬山風景優美，夕陽映山，早晚氣候舒適宜人，飛鳥成群結伴，盤旋山中，飛林歸巢（采菊東籬下，悠然見南山；山氣日夕佳，飛鳥相與遠），這是陶淵明在輕鬆自在心境下，寫出的傳誦千古的〈飲酒〉詩的第五首。因此後人也以「東籬花」為菊花。

陶淵明歸隱故里後，生活清貧，有一年重陽節，他沒錢買酒，就在東籬下賞菊，酒興至卻沒酒喝，只好枯坐在庭院中悶坐，惆悵著眼前盛開的菊花，就在此時，忽然看見一個穿白衣的僕童，原來是他的朋友江州刺史王弘派人送酒來的（望見白衣至，乃王弘送酒也）。陶淵明喜出望外即刻開罈暢飲，酒醉而歸，過了一個無憾的重陽節。後來「白衣送酒」也用來比喻自己渴望的東西，朋友正好送來（真的是心想事成）。

李白在〈九日登山〉也曾用這個典故，他說：「淵明歸去來，不與世相逐。為無懷中物，遂遇本州牧。因招白衣人，笑酌黃花酒。我來不得意，虛過重陽時。」意思是說陶淵明寫了歸去來辭，表明不追求俗世的高志，因為沒有酒了，所以就到州牧那裡喝酒，想像自己和陶淵明一邊觀賞菊花，一邊飲酒，此時的心情不好，白白辜負了重陽佳節。

孔子以人生的經驗，歸結人生三個階段必須要警惕戒備的守則：「君子有三戒：少之時，血氣未定，戒之在色；及其壯也，血氣方剛，戒之在鬥；及其老也，血氣既衰，戒之在得。」

年紀大了，沒有太大的力氣了，欲望、思想都要減弱了（及其老耄，則欲慮柔焉），要做個不爭氣的老人，不要再貪得無厭；身體也逐漸衰老變壞了（體將休焉），有生必有死，生死要順其自然，不必去尋找長生不老之道，那都是貪得的毛病，如果不貪求，又怎麼會有憂愁煩惱呢？求而不可得，才會煩惱（死者人之終也，常處得終，當何憂哉）。

小時候，父母常要我們爭氣，年紀大了要做個不爭氣的老人；腦筋最好不要太清醒，做個健忘的老人，這樣才不會與人生氣，與人生氣就會傷和氣，反而傷身。

尊老是我國固有的傳統美德，老人過去對家庭、社會、國家的貢獻功不可沒，敬老是我們對老人過去辛勞奉獻的一種肯定與回報，最後敬祝天下所有的老人平安快樂、健康長壽。

原文刊載於二〇一九年十月八日《蘋果網路論壇》

霜降楓紅時，政治人物少抹黑多談政見

最近幾天，敏感的讀者應該已開始感受到天氣變涼及一絲寒意。白天時，有些許陽光照射，但在夜晚，空氣中或植物表面的水分，開始會凝結成白色晶體，這就是霜粒，早晨起來，陽光照耀，霜粒閃閃發光，看起來有些許浪漫詩意，美不勝收。

一般而言，雨與雪都是從天上降下來的，露與霜是因地面的水汽凝結而成的「氣肅為凝，露結為霜」，這是「霜降」節氣來臨的表象。通常把秋季出現的第一次霜叫「初霜」或「早霜」；而把春季的最後一次霜稱為「晚霜」或「終霜」。「霜降」是二十四節氣中的第十八個節氣，也是秋季的最後一個節氣，今年的霜降是國曆十月二十四日，一過霜降，秋季也就結束了，下一個節氣就是立冬了。

霜降時節，草木紛紛開始轉黃而掉落，一大片都是蕭蕭落木的深秋景象，只有楓葉經霜而紅。「月落烏啼霜滿天，江楓漁火對愁眠。姑蘇城外寒山寺，夜半鐘聲到客船。」這首五言絕句詩〈楓橋夜泊〉，沒聽過、不會背誦的人應該很少，但不知作者是何許人也的大有人在。

這首詩的作者是盛唐詩人張繼，他留下的詩作很少，算不上名家，如果沒有這首千古絕唱的詩，可能今天已忘記了他的名字，但僅這一首詩，也使他的名字名傳千古。

這首詩大意是說月亮已落，伴隨著烏鴉的啼叫聲，滿天都是瀰漫著秋霜的寒氣，對著江邊的楓樹與漁舟上的燈火，我獨自一人無法入眠，姑蘇（蘇州）城外清靜的寒山寺，半夜敲響的鐘聲，傳到我乘坐的客船上。作者描寫霜降時節，旅人的所見所聞及對寒意的感受，以發抒心中的孤寂旅愁心情。

同樣的，寒山寺也因為張繼這首詩而揚名天下，名聞中外，寒山寺的鐘聲，也因而穿越千古。寒山寺相傳建於六朝時期的梁武帝，原名「妙利普明塔院」，唐貞觀年間，傳說當時的二位名僧「寒山」與「拾得」（拾得是個苦命人，剛出生即被父母遺棄，幸被高僧經過，將其帶回寺中撫養，並起名為「拾得」）從天臺山來此修行，遂改名為寒山寺，相傳寒山是文殊菩薩的化身，拾得是普賢菩薩的化身。

他們二位在佛學與文學上造詣都很深，時常吟詩作對，他們有一段很有名的對話，收錄於《寒山子詩集》：有一天，寒山問拾得曰：「世間謗我、欺我、辱我、笑我、輕我、踐我、惡我、騙我、如何處治乎？」拾得云：「只是忍他、讓他、由他、避他、耐他、敬他、不要理他，且待幾年，你且看他。」

再過不到三個月，就要總統與立委的選舉，今年的選舉競爭特別激烈，選民都希望政治人物選舉時多講政見，但臺灣的選舉特別喜歡抹黑，打口水戰，總是謠言滿天飛，在此特別引用寒山與拾得的對話，供政治人物參考，奉勸政治人物要少抹黑，多談政見，也呼籲選民用選票理智地選出賢能的候選人。

楓葉四季變化顯著，夏季綠葉青蔥稱青楓，李白的詩即言：「帝子隔洞庭，青楓滿瀟湘。」楓葉經霜降而紅（楓紅），因此秋葉稱丹楓，杜甫〈秋峽〉中的詩句「門巷落丹楓」，古代文人也用「楓林」形容秋色，杜甫詩句：「赤葉楓林百舌鳴，黃泥野岸天雞舞。」

秋天是萬物由盛轉衰的季節，一般人描寫秋色，總是流露出蕭瑟悲秋的情結，白居易〈琵琶行〉的詩：「潯陽江頭夜送客，楓葉荻花秋瑟瑟。」所寫時節就是深秋時節。晚唐著名詩人杜牧有一首〈山行〉的詩：「遠上寒山石徑斜，白雲深處有人家。停車坐愛楓林晚，霜葉紅於二月花。」

大意是說在深秋時節，沿著蜿蜒的石子小路，登山遙遠的山峰，順著小路往上走，在白雲繚繞的深山裡，仍若隱若現地見到幾戶人家，這片楓林實在太美了，我就停下來慢慢欣賞，到天色晚了，也捨不得離去，那經過霜打的紅葉，比二月裡的鮮花還要紅呢！這首詩使人感到雖然是描寫深秋暮色，但「霜葉紅於二月花」，絢麗秋色，儼然回到明媚的春天，充滿著生機勃勃的活力，這是唯有歷經風雨和堅韌地等待，才可達到的境界，讓人體現一種豪邁向上的精神。

順道一提，白居易的詩「楓葉荻花秋瑟瑟」，其中隨風搖曳的荻花就是在秋天開花，它和紅色的楓葉相互輝映點綴秋天的景色（楓紅荻白）。《宋史》曾記載：「歐陽修四歲而孤，母鄭守節自誓，親誨之學，家貧，至以荻畫地學書。」這是成語「畫荻教子」的典故，荻就是蘆葦草。

美國東北新英格蘭地區的麻薩諸塞州、康乃狄克州、新罕布夏州、緬因州及佛蒙特州是北美賞楓的絕佳去處，此時正是賞楓的美好季節，起落的山谷地形造就楓紅層層美景，令人嘆為觀止，筆者在美國唸書時，在深秋時節的週末，常開車與太太漫無目的地在州際公路上欣賞紅葉美景，真的令人留連忘返，回首來時路，至今仍回味無窮。

明天就是霜降，它是秋冬氣候的轉折點，北方的冷氣團會開始光臨，溫度日益下降，這段時期是呼吸道疾病（氣喘、過敏性哮喘、支氣管炎、上呼吸道感染）的好發季節，同時因為氣溫下降，人體血管受到寒冷的刺激，一些心腦血管疾病發生率也開始增加，呼籲讀者外出時要根據氣溫變化，增添衣物，注意保暖，避免受涼而致病或疾病復發。留得青山在，年年得見深秋楓又紅！

原文刊載於二〇一九年十月二十三日《蘋果網路論壇》

郭台銘不選總統，國家之幸？不幸？

鴻海集團創辦人郭台銘已退出二〇二〇總統大選，不過仍頻頻端出政策構想，郭台銘於十月三十日在臉書上分享心得，表示最近注意力重新回到熟悉的工作場域（此十四字隨後被刪除），持續關注中美貿易戰，日韓貿易摩擦與英國退出歐盟進度，以及臺灣的產業與經濟發展，加上鴻海近來財報看漲，引發外界揣測郭董是否要別離政壇，重返鴻海。

不過，郭台銘幕僚，永齡基金會執行長劉宥彤出面澄清表示，郭董只是想表達最近在籌備大健康產業政策，像是回到以前工作場域一樣熟悉的心境，回應是「外界過度解讀」。

從唐朝滅亡到趙匡胤陳橋兵變建立宋朝的這段期間，中原地區依次有後梁、後唐、後晉、後漢、後周五個政權，被稱為「五代」，而在中原政權之外，存在過許多割據政權，包括前蜀、後蜀、南吳、南唐……十餘個割據政權，後世史學家稱為「十國」，這個歷史階段就叫做「五代十國」。

李煜是五代十國時期南唐的最後一個皇帝，所以後世多稱他為「李後主」，他是「南唐中主」李璟的第六個兒子，按照道理君位怎麼也輪不到他。李璟曾立誓要兄終弟及，要將皇位傳給弟弟李景遂。李煜有五個哥哥，他的哥哥中，除長兄李弘冀外，其他都死得早，李煜二十三歲時，大哥李弘冀與叔叔爭權，逼退叔叔，後來又派人將叔叔毒死，李弘冀如願入主東宮，無奈次年即病逝暴卒。

權臣覺得李煜不是作皇帝的料，提議立他的弟弟李從善為太子，但李璟就是不同意，執意立李煜為太子，李煜不爭不搶，從天上掉下來一個位置，這太子位置他是非當不可了。隔年，李璟病逝，李煜即位南唐國主，時年二十五歲。

李煜的長相符合相書上的帝王之相，據說他的眼睛裡有兩個瞳孔（一目重瞳子），所以他的字叫做「重光」。相傳虞舜、晉文公重耳、項羽等人都是重瞳。可是李煜對什麼國家大事，毫無興趣，他沒有野心，也沒有手腕，他的志向就是做個富貴閒人，沒事喝喝酒，做詩填詞，欣賞音樂書畫，過個文藝青年的生活，所謂「浪花有意千重雪，桃李無言一隊春。一壺酒，一竿身，世上如儂有幾人？」〈漁父〉，意思是說：浪花彷彿是有意地歡迎我，捲起了千萬重飛雪，桃花李花默默地站成一隊，讓我感受到了春天。一壺美酒在手上，一根釣竿在身邊，世界上像我這樣快活的人有幾個呢！然而古代皇帝實行世襲制，偏偏這個根本不適合做皇帝的人，登上皇帝寶座，可以想像自然會發生可悲可嘆的事。

李後主在三十九歲時與大臣數十人被俘，成為亡國之君，他把被囚禁、被侮辱的深層哀痛表現在詞作。鄧麗君唱過一首歌，名為〈獨上西樓〉，就是直接用李後主做的詞〈相見歡〉作為歌詞：「無言獨上西樓，月如鉤，寂寞梧桐深院鎖清秋。剪不斷，理還亂，是離愁，別是一般滋味在心頭。」「無言」、「獨上」一個人孤獨的身影，徘徊在西樓上，舉頭望月，殘月如鉤，向深院望去，無人的院落，梧桐疏影，重門深鎖，寂寞寥落，多麼清冷的秋月啊！這個鎖字，點出了李後主被軟禁的遭遇。千絲萬縷，縈繞在心裡的離愁，再快的剪刀也剪不斷，再怎麼也理不出頭緒來，這種滋味真不好受，也說不清楚，只好說「別是一般滋味」了。

李煜心中的離愁，應該是亡國之君，離開家國之愁最深切的感受，這句「別是一般滋味在心頭」成了在抒發離愁時，時常被引用的句子。

李後主還有一首〈虞美人〉的詞，更是膾炙人口的名篇：「春花秋月何時了，往事知多少？小樓昨夜又東風，故國不堪回首明月中。雕欄玉砌應猶在，只是朱顏改。問君能有幾多愁，恰似一江春水向東流。」看著眼前「春花秋月」的美景，什麼時候才有結束的時候呢？在春風吹拂的月夜，往事如煙，掠過心頭，但故國已不存在，不禁思念故國往事，往事不堪回首。雕欄玉砌的故園應該還是老樣子吧！只是往日宮女們的容顏變得憔悴了。要問我心中有多少哀愁，就像不盡的春水滾滾東流，流也流不盡。李煜的生日在七夕，正當他讓歌伎作樂，演唱這首詞時，宋太宗命人送來一份意料之外的壽禮毒藥，令他喝下，他年僅四十二歲。

李煜生在七夕，死在七夕，生日變忌日。這首詞成了他的絕命詞，也是李後主生前的最後一首詞。

作為一個君王，李煜是不稱職的，以致於亡國，他的下場更是悲悽。國家的不幸卻是詩人的幸事，當寫到親歷過的人事滄桑及國家不幸滄桑感情時，李煜總是寫出深刻感人的詩句，真如清代詩人趙翼所云：「國家不幸詩家幸，語到滄桑句便工。」李煜的詞哀婉動人，令人嘆息，成為千古詞帝，作品流傳千古。

郭台銘先生白手起家，成立鴻海企業公司，迄今鴻海集團已成為臺灣最大企業，他是企業經營之神，並為中華民國首富，若能在自己熟悉而專精的領域持續為國家的經濟發展出謀劃策，將是商界之幸亦是國家之幸。

原文刊載於二〇一九年十一月五日《蘋果網路論壇》

政策應從大處著手　不能只搶短線

總統大選確定國民黨的韓國瑜、民進黨的蔡英文、親民黨的宋楚瑜三人爭霸。不過，郭台銘參選國民黨總統初選時，提出「零歲到六歲幼兒國家養」的政見，卻引發三人競相跟進。

對於郭台銘提出的議題，宋楚瑜說，他於二〇〇〇年選舉時，就提出「零到六歲國家養」，未來希望國民義務教育向下扎根三年，包括小班、中班、大班，將幼兒提前納入義務教育。韓國瑜則拋出「六六六」育兒政見，第一胎生育費用補助，從現行二萬元提高到三萬元，第二胎補助加碼到六萬元，而且每年可領補助六萬元，直到六歲。

蔡英文總統拋出「零到六歲國家跟你一起養」政見，預備在四年之內，讓臺灣的育兒津貼從零到四歲，延長到滿六歲，育兒津貼從現行的二千五百元提升到五千元，補助年紀也從現在的零到四歲，擴大成零到六歲，行政院已擬出六大規劃，預計未來四年內，少子女對策預算將從現在的每年六百億元，逐漸增加到每年一千億元。

鄭國貴族大夫子產在擔任鄭國宰相時，有一天乘馬車外出，看到老百姓欲渡河，但缺乏工具，他身為宰相，就用自己的車馬，把老百姓送過河。但孟子批評他「惠而不知為政」，意思是說子產是大政治家，他這種做法，不是大政治家的行為，只是讓小老百姓感謝的小恩小惠而已。

孟子認為，對於執政的人而言，百姓無法渡過河，是交通不能暢通，河道水利沒修好，應該趕快去修水利。在上位的官員，只要認真把國家政事治理好，即使出門必須鳴鑼開道，老百姓要讓路都無妨，人那麼多，國家政事那麼多，怎麼有時間幫一個個百姓渡河呢？如果執政的人要去討好每個人的歡心，像子產那樣，用自己的車載人過河，這樣能夠載多久呢？

臺灣正朝著社會福利國家走，我國的社會安全揹包括勞工保險、全民健康保險、國民年金保險、公教人員保險、就業保險、軍人保險、農民健康保險、新制軍公教人員退休撫卹金、勞退新制與舊制及私校退撫儲金等十一項保險及退休基金，三黨參選人都不約而同提出零到六歲國家幫忙養的政策，加上長照制度，等於提供從出生到死亡的社會福利，其實某種程度已算是個社會福利國家。

選前各黨參選人都會開選舉支票、「撒紅包」，選民固然不會排斥，但每開一張選舉支票，都是動輒數百億元，甚至千億元，錢的來源，參選人好像都沒有說清楚，到底是租稅來，還是要舉債，如果舉債太多，那就是下一代年輕人的負擔，畢竟天下沒有白吃的午餐。

「租稅負擔率」是政府稅收佔國民生產毛額（GDP）的比率，是用以衡量一個國民的賦稅負擔程度，這個數值越高的國家，代表國民支付給政府的稅收越高，反之，則越低。根據財政部公布的最新統計，臺灣的租稅負擔率（不包含勞健保等社會安全捐在內）在二〇一七年為12.9%，和美國、日本等經濟合作暨發展組織（OECD）國家相比，我國租稅負擔率一向是倒數，縱使與亞洲國家相比仍然是比較低者。

今年財政部首度將勞健保等社會安全捐計入租稅負擔率來計算，二〇一七年臺灣社會安全捐佔GDP約6.5%，加上賦稅收入後合計整體租稅負擔率約19.3%。臺灣雖非OECD組織成員國，但與OECD國家比較，臺灣含社會安全捐的租稅負擔率19.3%排名僅次於墨西哥（16.2%），低於韓國的26.9%、美國的

27.1%，更遠低於社會福利制度完善的歐洲國家，如法國（46.2%）、丹麥（46%）及德國（37.5%）。

歐美主要社會福利導向國家需要龐大稅收支應，因此租稅負擔率一向相對為高，臺灣這樣低的租稅負擔率，是否足以負擔這樣的社會福利，這個問題每位總統參選人都要嚴肅面對，面對社會福利是否有一天會難以為繼。一直以來，不管誰當執政黨，政府都將「減稅」視為是讓人民有感的政績，一般老百姓也都視為理所當然，百姓反對政府加稅，但又期待獲得像歐美標準的社會福利。

選前大開社會福利的政見及支票，選後就要兌現，減稅容易增稅難，國庫能否負擔是個問題，但從來沒有參選人發表如何籌措財源。社會福利越多，未來是納稅人要負擔的，若因財源不足，因而排擠原有的重要建設預算，那可就因小失大了。

諸葛亮說「治世以大德，不以小惠」。執政者要服務天下所有百姓，規劃政策應從大處著手，創造恆久的社會福利。不能只搶短線，討好選民，讓百姓得到有限的小恩惠，短暫的時間內感大德而已。參選人不要為討好百姓而不顧國家財政穩定，老百姓也不要將參選人的福利支票視為理所當然，畢竟羊毛出在羊身上，最後還是要由老百姓負擔，甚至將由下一代承擔。

原文刊載於二〇一九年十一月二十六日《蘋果網路論壇》

期待高雄有個平安的冬至夜

冬至是二十四節氣中的第二十二個節氣，它的日期大約在國曆的十二月二十二日或二十三日，今年的冬至是十二月二十二日。過了冬至，經過小寒及大寒，這二個節氣後，就是春節了。冬至這天，太陽直射南回歸線（日南至），所以北半球這天是白天最短（日短之至），黑夜最長的一天，南半球正好相反，晝最長，夜最短，所以冬至又稱為「南至」（太陽到達最南邊）。過了冬至後，日光照射北移，白天愈來愈長，黑夜愈來愈短。在陰陽五行的理論中，日照多白晝長是為陽，因此冬至是陰之極，夏至是陽之極，古人因此認為自冬至起是陽氣開始逐漸旺盛之始（陰極之至，陽氣始生），即所謂的「冬至一陽生」，杜甫〈小至〉詩有「天時人事日相催，冬至陽生春又來。」冬至是一個節氣循環的開始，乃吉祥之日。

自古以來，對冬至這一天非常重視，有所謂的「冬至大如年」的說法，一直以來冬至都有「冬節」之稱。傳統上，冬至要吃湯圓，小時候，在冬至前一天晚上（冬至夜，又稱小至），大家在吃過晚飯後，全家大小會圍著一張大圓桌搓圓仔（湯圓），充滿了過節的快樂氣氛與情趣，現在能買應景的湯圓回家煮，已算有過節的氣氛了。冬至的湯圓稱為「冬節圓」，通常要做紅、白兩色的圓仔（沒有包餡），因為冬至是晝夜長短交接的日子，紅白湯圓也就象徵了「陰陽交替」。到了冬至早晨，家家以煮熟的「冬節圓」供奉廳堂、灶頭等地，以祭拜祖先及神明，然後全家吃圓仔湯，這有借著湯圓祈求凡事圓滿，闔家團圓之意。

小時候每逢冬至，長輩總會哄小孩說：吃湯圓才會長一歲。其實這不是笑話，據說周朝至漢初時，當時的歲制是以冬至為歲首，因此在這一天祭天以「添歲」。南宋愛國詩人陸游在其〈辛酉冬至〉詩有「今日日南至，吾門方寂然。家貧輕過節，身老卻增年。畢祭皆扶拜，分盤獨早眠。惟應探春夢，已繞鏡湖邊。」此詩是陸游敘述冬至日過節祭祀之事：冬至日到來，我家依舊很平靜，因為家貧，所以便很簡單地過節，雖已老邁，吃過冬至飯即又添一歲了；歲祭時，兒孫們都來攙扶我這老人去祭拜祖先，結束後便把祭祀所用食物分給大家享用。夜裡夢見早春郊遊，來到鏡湖邊上。這首詩把冬至視為添加年歲的節日，可見吃湯圓象徵添歲的觀念，由來已久，臺灣的俗諺也說「冬至圓仔呷落加一歲」。這首詩充滿家常味，現代家庭已很難感受得到，當然這首詩也充滿著陸游對世事人事閱歷的感慨。

冬至也是祭祖的時節，通常族親都會參加冬至祭祖的活動，祭祀完畢後，家族聚餐，古代冬至有全家團聚的習俗，詩人白居易有一年獨自在邯鄲過冬至，寫了〈邯鄲冬至夜思家〉的詩，表達親友團聚獨缺一人的感慨（「邯鄲驛裡逢冬至，抱膝燈前影伴身。想得家中夜深坐，還應說著遠行人」）。白居易的初戀情人名叫湘靈，二人是青梅竹馬，白居易曾寫一首詩〈鄰女〉送給她：「娉婷十五勝天仙，白日姮娥旱地蓮。何處聞教鸚鵡語，碧紗窗下繡床前。」讚美她的美麗和她悅耳的嗓音。

無奈白居易的母親重視門當戶對，二人無緣成婚，有一年冬至節，白居易寫了一首詩〈冬至夜懷湘靈〉，表達對初戀情人的相思之情：「艷質無由見，寒衾不可親。何堪最長夜，俱作獨眠人。」詩的大意為在寒冷的冬夜，與心中思念的戀人沒有辦法相見，冰冷的棉被都不敢接近，怎麼忍受得了這一年當中最漫長的寒夜，你我都是孤獨一人，獨自而眠呢？這首詩流露出詩人白居易的淡淡哀怨，同時也讓我們知道古人早已瞭解冬至的夜是漫漫長夜（何堪最長夜）。在這個最漫長的黑夜，誰陪在你身旁？

古代羅馬帝國的曆書十二月二十五日是冬至節（現代的西曆是十二月二十二

或二十三日），巧合的是，這一天同時也是羅馬神話中太陽神阿波羅的生日，崇拜太陽神的人在這一天，也正是冬至節祭祀太陽神，慶祝太陽神生日，把這一天當作是春天的希望，一陽復始，是萬物復甦的開始。聖誕節是基督教為紀念耶穌誕生而創造的節日，又稱耶誕節，但所謂的耶誕節，其實就是古代人慶祝的冬至節，在十二月二十五日慶祝聖誕節的國家，稱呼前一天為平安夜。平安夜不僅指十二月二十四日晚上，指的是聖誕前夕，特指十二月二十四日全天，但由於大型活動都集中在晚上，故被稱為平安夜。

明天十二月二十一日是冬至的前一天，國民黨總統候選人韓國瑜陣營將在北高雄舉辦「挺韓大遊行」，邀約支持者一起走上街頭；與當天另場在南高雄舉辦的「罷韓大遊行」——1221Wecare 臺灣大遊行形同正面對決，我們期待雙方陣營之支持民眾，理性自制，不要激情對立，刻意製造衝突，讓遊行能快樂開始平安結束，讓高雄有一個平安的冬至夜。

原文刊載於二〇一九年十二月二十日《蘋果網路論壇》

尾牙季談如何保住飯碗

時序進入農曆十二月，十二月為一年最後一個月分，俗稱歲尾，又稱「臘月」。所謂「臘」本來是指歲終的祭名，臘的原字是獵，在古時候是要獵殺禽獸拜神祭祖，這種祭奠儀式稱為「獵祭」。對中國人而言，一進臘月，大家就開始忙碌了，包括忙著做臘肉、香腸，一切的準備都是為了迎接舊曆年的到來。

首先，臺灣的大企業按照傳統慣例，年終歲末都會辦尾牙宴，順道公布年終獎金，開啟迎接新年到來的熱鬧歡樂氛圍。經各家媒體報導，一連串的曝光，除了品牌行銷外，同時也能夠提升公司的企業形象。一年一度的尾牙季即將開跑，每個上班族都期待尾牙這天的到來，因為這一天老闆會邀請員工參加饗宴，以感謝員工對公司（機構）的貢獻，也就是所謂的「員工歲末聯歡餐會」。

但是，你知道尾牙的由來嗎？

「牙」是傳統中國民間祭拜土地公「福德正神」的儀式，傳統習俗中，作生意的人，陰曆每月初二及十六都必須以三牲供醴祭拜土地公，而祭拜後的菜餚可以給家人及員工打打牙祭，因此也稱為「做牙」。土地公是古代社稷崇拜中的社神，一般農家都在農曆二月二日土地公生日這天舉行「春祭」，祈求一年五穀豐收，並祝福土地公萬壽無疆，二月二日是土地公生日，也是每年的第一次做牙，因此稱為「做頭牙」；農曆八月十五日，還要祭拜一次，稱為「秋祭」，在五穀有了收成時，感謝土地公賜給人們的豐收。

十二月十六日則是每年的最後一次做牙，因此稱為「做尾牙」，也就是演變為今天大家所熟悉的尾牙宴。民間又認為土地公是商家的守護神，因此商店在做尾牙時，為感謝土地公一年的照顧，更為求土地公能保佑公司新的一年能大發利市，因此祭拜土地公的儀式較農家更隆重盛大，都會準備豐富的祭品來酬謝土地公，而祭拜完的東西，就會犒賞給員工們，這就是尾牙的由來。

過去，一般公司行號如果想要解僱不適用的員工，都利用吃尾牙時來暗示，將佳餚中的雞頭朝著即將解僱者，那個人便知道老闆暗示過完年不用再來上班的意思，所以俗話說「食尾牙面憂憂」，意思是說伙計在吃尾牙時，因為怕被解僱而失業，所以面帶憂容。

不過，當時的人還算厚道，如果不是員工實在不行，或是老闆的事業經營不善，是不會隨便辭退員工的，辭退員工的方式，也不是發下一張解僱通知或資遣，而是在吃尾牙時暗示。這正是臺灣富人情味的地方，讓員工有心理準備，以降低被裁員員工的影響。過了年，到了吃頭牙（二月二日）的時候，因為一年去留早就決定，無所顧慮，所以可以輕鬆地「蹺腳撚嘴鬚」地大吃了，因此俗話才說「吃頭牙撚嘴鬚」。

我們經常以「飯碗」代稱「工作」，長期以來「鐵飯碗」一直是人們所羨慕和追求的工作，它指的是高度穩定而沒有失業風險的工作，一般指的是軍公教人員及國營事業的員工。若捧得此碗，從此不會被裁員，便可衣食無憂，生活幸福。順道說說鐵飯碗的由來，搏君一笑。

相傳古時候有一官爺的漂亮女僕摔碎一碗，官爺欲懲罰她，女僕下跪認錯時，驚見酥胸微露，官爺性起，即成好事，不予追究。次日，女僕叫醒午睡中的官爺，告知又摔碎了一隻碗，官爺又成全了她；此後女僕常摔碎碗，要求官爺懲罰，有時一日摔碎三隻碗，官爺年事已高，難以招架，遂將家裡的碗碟全都換成鐵做的，並下令從此不用工作，薪資照發，相傳這就是鐵飯碗的由來。

但是能捧得鐵飯碗工作的人，畢竟是少數，大部分的人還是在私人企業部門工作，面對全球競爭時代，碰到經濟不景氣時，企業面對艱難時期，裁員的消息時有所聞，過往令人感覺工作穩定如「鐵飯碗」的時代已過去，面對鐵飯碗消失的職場世代，員工要有危機意識，做好心理準備，那就是在職場仍要隨時學習，增進自己的職場能力（競爭力），畢竟有本事的人、有競爭力的人到哪裡都有飯吃，那才是「鐵飯碗」。

時過境遷，社會進步，現在的社會，上述的情況已不復存在，尾牙宴上的雞頭已不再是令人膽顫心驚的暗示了。現在的勞工受《勞動基準法》保障，雇主如果要請勞工離職（資遣）時，雇主須提早告知始得終止勞動契約（預告義務），且於預告期間應給予一定時間之假期外出找工作（謀職假），並應於勞工離職十日前通報當地勞工行政主管機關；資遣後，須發給勞工資遣費，勞工可依法申請失業給付。即使是雇主依《勞動基準法》第十二條：「勞工違反勞動契約或工作規則，情節重大者」直接解僱勞工，雇主也須負舉證責任，若勞資雙方對於終止勞動契約事由之認知存有歧異，勞工也可向勞工局申請調解、仲裁，甚或提起民事訴訟。

隨著工商業發達，配合工商社會的作息，尾牙已不再拘泥於農曆的日期（十二月十六日），但公司吃尾牙那一天，一定是老闆與員工團聚而充滿人情味的一天，老闆藉由吃尾牙的餐聚，與員工聯絡感情，慰勞大家一年來的辛勞，許多公司的重要決定，甚至年終獎金發放的多少，都在尾牙宴上宣布，許多企業更是準備抽尾牙禮物、抽現金紅包等活動，帶動尾牙宴的高潮，這一天已成為老闆鼓勵、慰勞及激勵員工的日子。

值此尾牙季，祝福有參加尾牙宴的讀者能幸運抽中大獎。

原文刊載於二〇二〇年一月六日《蘋果網路論壇》

韓國瑜市長聽過馬與驢的故事嗎？

二〇二〇總統及立委大選，元月十一日晚上結果揭曉，民進黨候選人蔡英文以八百一十七萬餘票、57.13%得票率，獲得壓倒性勝利，當選第十五任總統。得票數一舉突破馬英九前總統在二〇〇八年所創下的七百六十五萬餘票紀錄，成為我國民選總統史上的最高票，創下新的歷史新高。立委選舉方面，民進黨在一百一十三席立委中，更拿下六十一席國會席次，在國會單獨過半，完全執政。國民黨的候選人韓國瑜，以38.61%得票率，獲得五百五十二萬餘票，他的得票數輸給蔡英文二百六十四萬餘票，慘遭民主海嘯的淹沒。

值得注意的是，韓國瑜在二〇一八年十一月的高雄市長選舉中以八十九萬二千五百四十五票大贏民進黨對手陳其邁十五萬餘票，結束民進黨在高雄二十年的執政，僅一年多，這次總統大選，韓國瑜在高雄市僅得六十一萬八百九十六票，蔡英文的得票數高達一百零九萬七千六百二十一票、得票率62.23%，贏了韓國瑜四十八萬多票；反觀韓國瑜的得票數則較前年底市長選舉時少了二十八萬餘票，這才是最真實的衝擊。如果投給蔡英文的票視為對韓市長的不信任投票，這樣的選舉結果代表近六成二的高雄市民對韓市長參選總統的正當性投下了反對票。

韓國瑜當選市長時曾說：「二〇二〇總統大選不在我考量中，四年任期要把市長做好做滿。」沒想到幾個月後就動念參選總統，變成「Yes I do.」挾著黨內民調一枝獨秀，擊敗其他準備許久的黨內同志。

平心而論，韓國瑜上任未滿半年即參選總統，能否勝任高雄市長的工作，尚待觀察，何德何能可以馬上參選總統？尚未在市政好好努力表現，兌現競選時的政見與承諾，本身是受廣大選民付託，背負高雄鄉親期待的市長，卻突然「落跑」要選總統，總讓人覺得韓市長是「吃碗內，看碗外」，基本上違背選舉市長時的誠信原則，因此也就喪失了參選總統的正當性，這是韓國瑜這次大選敗選的重要關鍵因素之一。

東漢初年，隗囂割據隴地（甘肅），公孫述割據蜀地（四川），二人聯手對抗東漢光武帝劉秀的朝廷，岑彭是劉秀的大將，有一天劉秀率岑彭攻克天水（在甘肅省），並把隗囂圍困在西城、上邽，公孫述派兵來援救隗囂，光武帝派蓋延、耿弇等將包圍之，然後自己回到京城洛陽，回到京城後，劉秀發出詔書給岑彭說，若二城攻下，便可帶兵南下直取公孫述，平定隴後，不應滿足，應緊接南下平定蜀（兩城若下，大軍可南擊破虜。人苦不知足，既平隴，復望蜀）。這個故事原來的內容是劉秀平定了「隴」又望「蜀」，如果站在翦除割據政權統一國家的立場來看是對的，不應以貪多務得來看待，但自「得隴望蜀」被引申為成語之後，完全變成了「貪得無厭」的意思了，也就是得到一樣東西，又想進一步得到另一樣東西，就像韓國瑜剛取得市長寶座，就想得寸進尺，取得大位，一登龍門，真是既「得隴」又「望蜀」。其實，工作與事業的發展是長期累積的過程（要有經歷），也就是所謂的「登高必自卑，行遠必自邇」，只有腳踏實地，步步為營，才能謀大事，立大業。

《伊索寓言》有一則關於一匹馬的選擇的故事。從前有個人趕著一匹馬和一頭驢子上路，在路途上，驢子對馬說：「我快不行了，拜託你幫我分擔一點東西，如果你幫我分擔一點東西，就能救我一命。」這匹馬選擇拒絕驢子的請求，後來，那頭驢子真的精疲力竭而死亡。

於是，主人就把所有的貨物（包括那張驢子皮）都放在這匹馬的背上，這時，馬悲傷地說：「真是悔不當初！早知道我就做另一個選擇了。」人生的複雜就在於必須有所取捨，必須做選擇，孟子有云：「魚，我所欲也；熊掌，亦我所欲也。二者不可得兼，舍魚而取熊掌者也。生，亦我所欲也；義，亦我所欲也；二者不可得兼，舍生而取義者也。」

二〇一八年底，韓國瑜趁勢而起，選上高雄市長，聲勢如日中天，可謂「時勢造英雄」；二〇一九年，他選擇了參選總統；二〇二〇年初，他總統大選慘輸敗選，必須面臨未來「罷韓」的聲浪，進行市長保位戰，不知韓國瑜市長現在的心情是否像那匹馬的感覺一樣？

原文刊載於二〇二〇年一月十三日《蘋果網路論壇》

執政者應更傾聽年輕人心聲

二〇二〇大選落幕，有多位年輕新秀以黑馬之姿脫穎而出，最年輕的立委年僅二十七歲，堪稱是年輕世代的崛起。中高年齡層的選民向來被認為有較高的投票意願，年輕族群的選民投票意願在歷次選舉的投票率確實也相對較低，二〇一六年總統大選投票率僅66.27%，這次總統大選投票率達74.9%，因此年輕選民的投票動向就成為選戰勝負重要關鍵。

今年大選，各陣營候選人無不用力催票，的確這次年輕選民返鄉投票踴躍，投票日前一天的高鐵、台鐵都班班客滿，高鐵南下搭乘人次數更創下營運以來新高。這次總統大選的投票率達74.9%，首投族年輕人出來投票，功不可沒。這些年輕族群積極發聲，連帶也讓許多年輕的新秀當選立委，年輕世代所掀起的民意海嘯，將逐漸改變臺灣的政治生態。

明朝開國大臣劉基寫過寫過一篇〈狙公〉的寓言故事，大意是說楚國有一位靠養彌猴為生的人，楚國人都稱他為「狙公」。每天早晨，他都在院子裡分派彌猴當天的工作（旦日，必部分眾狙于庭），他讓老彌猴率領群猴到山上去採集各種草木果實，並要這些彌猴繳納其中的十分之一供自己享用；不繳納，就用鞭子抽打，彌猴都很害怕，不敢違抗（使老狙率以之山中，求草木之實，賦什一以自奉；或不給，則加鞭箠焉。群狙皆畏苦之，弗敢違也）。

有一天，有一隻小彌猴問眾猴說：「山中的果實是狙公種植的嗎？」眾猴說：「不是，是自然生長的。」小彌猴又問：「沒有狙公的命令，我們就不能採摘嗎？」眾猴回答說：「不是，誰都可以採摘。」小彌猴說：「既然如此，我們為什麼要依賴狙公而被他奴役迫害呢（然則吾何假於彼，而為之役乎）？」小彌猴的話還沒說完，眾猴們都猛然醒悟了（言未既，眾狙皆寤）。

當天晚上，眾猴相約等狙公熟睡後，就砸破欄柵，搗毀籠子，拿走狙公積存的食物，相約逃入森林中，不再回來。狙公最後也因飢餓而死（其夕，相與俟狙公之寢，破柵毀柙取其積，相攜而入于林中，不復歸。狙公卒餒而死）。

我們平常用「乳臭未乾」來形容人年輕，沒有經驗與能力，這是對年輕人表示輕蔑的說法。但是寓言故事中，眾猴覺醒的過程中，先覺者不是老猴子，而是一隻乳臭未乾的小猴，正因為小猴年幼，頗有初生之犢不畏虎的精神，思想上也沒有框架與束縛，可以敢作敢為，更沒有陳腐的教條，因此敢於想眾猴之所未想，所以最先覺悟，因此可免於繼續受剝削，保障了眾猴的權益，驗證了自己的權益自己爭取的鐵則。

這次的選舉，年輕人被視為是左右選舉結果的關鍵族群，他們出來投票，對國家的未來走向，表達了關心，他們的投票，展現了公民權益與捍衛民主。執政者應當更重視年輕族群的權益，使他們感覺到這個國家有未來的希望；否則，下次選舉，他們仍然是扮演關鍵性的角色，選出他們心目中更可信賴的執政者。

原文刊載於二〇二〇年一月二十日《蘋果網路論壇》

金鼠年專心致志好運數不盡

春節即將來臨，總統府日前公布鼠年春聯及紅包袋供民眾索取。蔡英文總統今年準備了一款「風調雨順、民富國強」的春聯，象徵總統對國人的祝福。在紅包袋部分，今年是庚子年，也是金鼠年，總統的紅包袋的上方是金鼠咬著金元寶，並透過綿延的金線與古銅線意象，結合成二〇二〇的圖像，象徵總統期盼二〇二〇年臺灣人民生活和樂、多子多孫，都能有成果豐碩的一年。

中國人對老鼠普遍沒有好印象，除了寵物鼠外，大概沒有人會喜歡老鼠，甚至是非常厭惡的動物之一。所以把沒有膽量的人說成「膽小如鼠」，把其貌不揚的人說成「獐頭鼠目」，把倉皇逃遁的人說成「抱頭鼠竄」，碰到「過街的老鼠」更是「人人喊打」。老鼠會傳播黑死病（鼠疫），更會吃掉農夫辛苦種植的作物，《詩經・魏風・碩鼠》就說：「碩鼠碩鼠，無食我黍！……碩鼠碩鼠，無食我麥！……碩鼠碩鼠，無食我苗！……」可見老鼠在三千年以前就吃農民所種植的黍、麥、苗，而成為人類的大敵。

老鼠也因其最能耗損食物，所以又稱「耗子」。古代的十二個時辰（十二地支）分別是「子、丑、寅、卯、辰、巳、午、未、申、酉、戌、亥」，每個時辰兩小時，子時是前一天晚上十一點到第二天的凌晨一點，老鼠通常在夜半時分出來活動，夜半大約就是子時，一日開始於子時，鼠咬天開，老鼠在十二生肖中排名第一，跟十二地支配對為「子鼠」，這也是「耗子」名稱中「子」的來源。

蘇軾有一天夜晚躺在床上，聽見有老鼠在咬東西，他拍拍床，聲音就停止了，但是過了一會兒，又從食盆裡發出嘰嘰嘎嘎的聲音，蘇軾就叫童僕持燭照看，看到食盆裡有一隻死老鼠，童僕驚叫地說：「剛剛還在咬東西，怎麼突然就死了呢？剛才是什麼聲音呢？難道是鬼嗎？」童僕便把食盆翻過來倒出老鼠，誰知老鼠一落地就走了，即使是非常敏捷的人也措手不及。

蘇東坡為此寫了一篇〈黠鼠賦〉。大意是說，真奇怪，這隻老鼠這麼狡猾，牠被困在盆子裡，無法打洞鑽出來，所以假裝咬東西，發出聲音引起人的注意，牠又故意裝死，來混得逃脫的機會（異哉，是鼠之黠也！閉於橐中，橐堅而不可穴也。故不齧而齧，以聲致人；不死而死，以形求脫也）。我聽說過萬物沒有比人類更聰明的，人可以馴服神龍，捕殺蛟龍，捕捉烏龜，獵獲麒麟，役始萬物而主宰牠們，結果反被一隻老鼠戲弄，被耍了一把，掉進了老鼠的圈套，牠裝死的時候一動也不動，像個文靜的姑娘，逃脫的時候像隻脫逃之兔逃竄，那麼人究竟聰明在哪裡（役萬物而君之，卒見使於一鼠。墮此蟲之計中，驚脫兔於處女。烏在其為智也）？

蘇軾閉目養神，心裡暗想原因，朦朧中好像有人告訴他說：你只不過多讀了一些書，記的知識多一點而已。你企望真理但未曾見過真理，你離真理還很遠。你用心不專一，而被外物分心，因此，一隻老鼠咬東西的聲音就把你弄得坐立不安（汝惟多學而識之，望道而未見也。不一于汝，而二于物，故一鼠之齧而為之變也）。人們常為打碎價值千金的玉璧而面不改色，但是失手打破一口鍋子卻不禁發出驚叫的聲音，能夠與猛虎搏鬥，但突然看到黃蜂蠍子，卻不禁嚇得驚恐失色，這就是用心不專一的毛病呀（人能碎千金之璧而不能無失聲於破釜，能搏猛虎，不能無變色於蜂蠆，此不一之患也）！

蘇軾寫這篇〈黠鼠賦〉，說明了最有智慧的人類居然被一隻黠鼠利用人的疏忽而逃脫，諷刺人類雖有很高的智慧，但往往不能看清事實真相，被狡猾的老鼠所欺騙，原因全在於做事時是否精神專一，理智面對，專一理智則事成，疏忽莽撞則事敗。在人的世界裡，有些小人或偽君子更是善於偽裝，令人防不勝防。也往往因自己的疏忽，沒有理性的思維，就讓小人的陰謀很輕易就得逞了。

鼯鼠身懷五技「飛、緣、游、穴、走」，可是牠能飛不能上屋，能攀爬但不能上樹頂，能游水但無法渡過深谷，能打洞但不能掩護身體，能走卻不夠快（不比人快）（能飛不能上屋，能緣不能窮木，能游不能渡谷，能穴不能掩身，能走不能先人），所以荀子〈勸學篇〉譏笑鼯鼠「五技而窮」。鼯鼠有四隻腳，看似有很多技能，卻也個個不專精。

這是荀子提醒人做事情做學問都必須專心致志，別無旁騖，不要什麼事情都想學，整日東翻翻西看看的，最後當然是什麼也沒學好。反觀，飛蛇雖然沒有腳，卻憑著力大無窮這一個強項，而能興雲霧而遊於其中（螣蛇無足而飛），這就表示用心專一，才可能成功。我們的眼睛不能同時看兩種景物都看得很清晰，我們的耳朵不能同時聽兩種聲音都聽得明白（目不能兩視而明，耳不能兩聽而聰），荀子不斷地提醒人們：心思不要同時放在二件事情上，否則二件事情都會做不好，那可是得不償失，會有遺憾的！

就要過新年了，豬年即將過去，新的一年鼠年即將開始，誠摯地祝福讀者們，在新的一年，都能找到一個明確的方向，然後行動專一，專心一致地把事情做好，願讀者們在各個領域都能夠成為數一數二的佼佼者。金鼠年好運數不盡！

原文刊載於二〇二〇年一月二十四日《蘋果網路論壇》

武漢肺炎疫情靠交通網擴散

中國武漢「二〇一九新型冠狀病毒」（2019-nCoV）肺炎疫情持續延燒，中國確診病例和死亡人數逐漸攀升，截至二十六日目前的確診病例已有一千九百七十五例，已造成五十六人死亡，根據中國官方的報告，該病毒並已蔓延至中國大陸的二十八個省和院轄市，美國、日本、泰國，香港、澳門等地都有確診病例，臺灣也出現境外移入。

武漢從二十三日上午十點開始，全市城市公車、地鐵、渡輪及長途客運全面停駛，市民無特殊原因不得離開武漢，真的是「封城」面對嚴峻的疫情。臺灣「嚴重特殊傳染性肺炎中央流行疫情指揮中心」已宣布，中心由三級提升至二級，衛福部部長陳時中坐鎮指揮，原本對武漢人士的邊境檢疫擴大為中港澳來臺者，並拒絕居住在武漢的中國人入境。

過去嚴重急性呼吸道症候群（SARS）的疫情被認為直接來源是野生動物的

果子狸，但蝙蝠則是SARS病毒的源頭。發表在二十二日的《醫學病毒學雜誌》（Journal of Medical Virology）的一項新研究發現，新型冠狀病毒與蝙蝠冠狀病毒相似度極高，代表新型冠狀病毒的自然宿主也可能是蝙蝠，而且從蝙蝠到人的傳染過程中，很可能存在未知的中間宿主，這個中間宿主，目前研究人員推測可能是蛇。

根據報導，武漢肺炎疫情最早來自當地的華南海鮮市場，該市場內存在大量野生動物（包括蛇）的交易，這使得新型冠狀病毒從蝙蝠再傳給蛇（或其他野生動物）再傳給人的可能性升高。

今年是鼠年，有一種會飛行的老鼠，叫做「簷鼠」，讀者可能沒聽過，牠因常棲居於人們的屋簷下、鐘樓古剎裡或深山洞穴斜壁上，故名簷鼠，牠的別名俗稱就叫做「蝙蝠」。蝙蝠是哺乳類動物中僅次於齧齒類動物的第二大類群，是哺乳類動物中唯一能飛翔的動物，牠是許多種人類病毒的源頭，如SARS原型病毒、中東呼吸道症候群（MERS）原型病毒等。

在中國人心目中簷鼠是一種長壽吉祥的動物，據說千年的蝙蝠色白如雪，吃下去可長生不老。又說牠腦重，棲息時倒掛著身子，腦中全是可以強身的精液，所以蝙蝠又稱「仙鼠」。由於「蝠」與「福」音相同，因此蝙蝠是幸福、福氣的象徵，蝙蝠居住在人家裡也象徵「福至」的吉兆。

蘇軾是中國文學史上的老饕、美食家。他最喜歡吃豬肉，被貶到黃州時，寫過〈豬肉頌〉的詩，其實就是東坡肉烹調法。他也吃老鼠、蝙蝠、熏鼠、蛤蟆等野味，你知道嗎？蘇軾被貶到儋州（現在的海南島）時，寫過一首詩：「土人頓頓食薯芋，薦以熏鼠燒蝙蝠；舊聞蜜唧嘗嘔吐，稍近蝦蟆緣習俗。」蝙蝠其實也是一種食材，嶺南土人特別喜愛，熏鼠就是果子狸，蜜唧是將剛出生、周邊通紅的小老鼠蘸點蜜，用筷子夾起來放到嘴邊，還聽到小老鼠唧唧作響，蝦蟆就是蛤蟆，蘇東坡可真入境隨俗與嶺南少數民族品嚐蝙蝠、蛤蟆等野味，甚至連生吞活食的「蜜唧」也豪氣下肚，你不覺得這是恐怖美食嗎？

從現代傳染病防治的觀點，吃野生動物很容易將不知名病毒食入人體中，而病毒在人體內因為一連串基因變異，原本不會直接感染人類的病毒變得可以傳染給人類，而造成人傳人的狀況。

這次新型冠狀病毒肺炎（武漢肺炎）疫情來勢洶洶，頻繁的交通網當然是造成疫情迅速擴散的主因，疾病管制署已將防疫等級由三級提升為二級，民眾也相當關切疫情，時值春節假期，政府已全面啟動防疫措施，做好醫療整備部署，呼籲民眾要保持鎮定，配合政府的防疫政策，如果出現發燒或呼吸道症狀，應戴口罩，趕快就醫，並告知醫師相關的旅遊史、接觸史，以供醫師做確切診斷。

春節期間若要外出，也要記得戴口罩、勤洗手，要不然就減少出門或避免去人多的地方，那就夠了，不用恐慌。祝大家有個平安的春節假期。

原文刊載於二〇二〇年一月二十六日《蘋果網路論壇》

防疫這件事，見小利則大事不成

新型冠狀病毒（COVID-19）疫情延燒，陸委會日前擬開放中配子女入境，引發反彈而緊急喊卡，平息「小明」之亂。前總統馬英九繼日前批評政府此舉為「民粹」、「歧視」，昨日再發新聞稿批評衛生福利部部長陳時中以身分決定待遇的論調正是《聯合國兒童權利公約》所要排除的歧視，也期許蔡英文總統能以高度超越民粹，帶領人民邁向更高標準的臺灣價值。

劉伯溫寫過一篇寓言故事〈捕鼠〉，大意是說趙國有個人家裡鼠患成災，向中山國的人求貓，中山國的人給了他一隻。那隻貓善於捕捉老鼠，也愛吃雞，一個多月下來，把家裡的老鼠和雞都吃光光了（鼠盡而雞亦盡）。他的兒子就對他父親說：「為何不把貓趕走呢？」他父親說：「這你就不懂了，我擔心的是老鼠，而不在於雞，老鼠為患，牠們偷吃我的糧食，毀損我的衣服，鑽透我的牆壁，咬壞我的家具，這樣下去，我們就要挨餓受凍，損失不是比沒有雞吃更大嗎？沒有雞，不要吃就算了，比起饑寒受凍還差得遠呢？那一個損失比較大？為什麼要把貓趕走呢？」

文中鼠患為災，影響應到人的生計；無雞，最多是不吃雞而已，因此棄卒保帥，把貓留下來，應該是明智的選擇。新型冠狀病毒肺炎已全球蔓延，中國大陸已有確診病例七萬零六百一十五例，死亡一千七百七十一例。全球已有二十九個國家／地區有病例，至截稿時間總計全球有七萬一千三百二十九例確診，一千七百七十五例死亡，並已有七十二個國家實施中國大陸旅遊限制措施。我們的鄰國日本，災情慘重，境內已有確診病例四百一十四例，並已有社區感染。臺灣有二十例確診病例，其中有一例死亡個案，政府戰戰兢兢，繃緊神經為防疫把關，就是怕有防疫缺口，引發可能的社區感染，那後果可就不堪設想。

許多事情都有兩面性，有利就有弊，有得就有失，如何處理就得分輕重緩急、權衡利弊得失，我相信政府目前的一切作為以防疫為最高考量，並非忽略對人權普世價值的重視，在無法兩全其美，兼而顧之的情況下，必須有所取捨，我相信這是蔡英文政府在疫情嚴峻考驗下，權衡利弊得失，以最大多數人的利益為前提下所做的決策。

《論語・子路》記載子夏要到莒父這個地方當邑長，臨行前向孔子請教為政之道，孔子跟他說：「政事有先後本末，必須按部就班。不要求快，光求快，往往是不能達到目的的。不要處處只顧到小利益，那樣反而會使大事不能成功（無欲速，無見小利。欲速則不達，見小利則大事不成）。」防疫這件事，就是要顧全到整體大局，不要在一些小利益上花費太多心力，簡單地說就是不要短視近利，否則因小失大，得不償失，孔子的為政之道，值得深思。

原文刊載於二〇二〇年二月十七日《蘋果網路論壇》

恐慌總在瘟疫蔓延時

新型冠狀病毒肺炎（COVID-19，以下簡稱武漢肺炎）疫情造成全球已有七萬九千三百六十六例確診，兩千六百十七例死亡，臺灣有二十八例確診，其中一人死亡，疫情的蔓延帶給全球人類極端的恐懼，北韓及俄羅斯都宣布關閉邊境，全球有超過八十個國家宣布禁止中國旅客到訪。隨著疫情持續延燒，群眾的預期心理造成的恐慌與焦慮，在所難免，這個感染力比病毒還強。

現在民眾不太敢上街頭，街市冷清，民間消費蕭條，商家哀鴻遍野，經濟的寒流已現，將嚴重衝擊臺灣的經濟，行政院已編列六百億元特別預算草案，送立法院審議，希望有助紓解武漢肺炎疫情對各產業務所造成的衝擊。明天就是中小學的開學日，部分大專院校也是明起陸續開學，這是臺灣教育史上最長的寒假，面對即將來臨的開學，各級學校憂心忡忡，家長們也倍感恐慌、心焦不已。全臺民眾更是搶購口罩和酒精，民眾彷彿又要陷入二〇〇三年嚴重急性呼吸道症候群

（SARS）流行的夢魘與恐慌中。

曹操與其子曹丕、曹植合稱「三曹」，父子三人以詩文著稱，三曹與也是父子兄弟以文學著稱的三蘇（蘇洵、蘇軾、蘇轍）齊名。三曹均好文學，在他們的推動下，聚集當時各地有名文人，如孔融、陳琳、王粲、徐幹、阮瑀、應瑒和劉楨（建安七子）等人提倡文學，互相唱和，由於其時是漢獻帝建安年代，因此世稱建安文學。漢獻帝就是漢朝最後一位皇帝，也就是曹操「挾天子以令諸侯」的天子，他的年號是「建安」（西元一九六年至二二〇年），曹操死後，他的兒子曹丕要漢獻帝把皇帝讓給他，自己登上皇帝寶座，建立魏朝，他就是魏文帝，徒有虛名的東漢皇朝從此走入歷史。

雅好文學的三曹父子與建安七子交情匪淺，曹丕在〈與吳質書〉信中這樣描述他們之間的互動與交情：出門時車與車先後相連，休息時席位與席位左右相接，幾乎沒有片刻的分離（昔日遊處，行則連輿，止則接席，何曾須臾相失）！可惜建安二十二年（西元二一七年），中國北方爆發的一場大瘟疫，上層階級也難逃死劫，曹丕的親戚朋友多數遭受不幸，他的知音好朋友如徐幹、陳琳、應瑒、劉楨也都被這場大瘟疫奪生命，撒手人寰（昔年瘟疫，親故多離其災，徐、陳、應、劉，一時俱逝，痛可言邪）？

曹丕的好朋友幾年間快死光了「零落略盡」，恐懼與悲傷之餘，曹丕有感而發地說：「痛知音之難遇，傷門人之莫逮。」曹丕追想過去相往相好的日子，歷歷在目，而這些好朋友都已化為塵土，怎能忍心再說什麼呢（追思昔遊，猶在心目，而此諸子，化為糞土，可復道哉）！可見傳染病爆發來襲時，就像惡魔一樣，無情地吞噬著人類的生命，連上層社會也不能倖免。

走七步而寫成一首詩「煮豆燃豆萁，豆在釜中泣，本是同根生，相煎何太急」，這首〈七步詩〉的作者是家喻戶曉的曹植（字子建），南北朝時期的大詩人、文學才子謝靈運對曹植可是佩服地五體投地，他曾說：「天下才共十斗，曹子建獨得八斗，我得一斗，天下共分一斗。」這種推崇備至的評價，為許多人所接受，所以後世對曹植遂有「才高八斗」之稱。無獨有偶，曹植對建安二十二年發生的疫病大流行寫了〈說疫氣〉的文章，描述了當時的慘狀。

他說這場瘟疫的流行，家家戶戶無一倖免，有的疫病一來，全家全部死光光，有的甚至全族都滅絕了，有人認為這是鬼神作弄的結果（癘氣流行，家家有殭屍之痛，室室有號泣之哀。或闔門而殪，或覆族而喪，或以為疫者鬼神所作）。而得此疫病的人多是以粗布為衣、以野菜當飯的窮苦人家，而住得好吃得好的人，卻極少得到此疫病（人罹此者，悉被褐茹之子，荊室蓬戶之人耳！若夫殿處鼎食之家，重貂累蓐之門，若是者鮮矣）！曹植並認為這是氣候的不正常變化（非常嚴寒）所導致的人體陰陽失調而生出的疫病，乃是疫情劇增的原因，因此他嘲笑那些以懸掛符咒來驅邪的做法，認為那是愚民的做法，無知而可笑（陰陽失位，寒暑錯時，是故生疫，而愚民懸符厭之，亦可笑也）。

被稱為醫聖的張仲景，也是生活在東漢末年漢獻帝時期，他也見證了瘟疫的大流行，在他的《傷寒病雜論》一書的序言中說，他家族本來人口眾多，達兩百餘人口，在不到十年的期間，竟有三分之二死掉了，而十個中有七位是死於疫病（余宗族素多，向餘二百，建安紀元以來，猶未十稔，其死亡者三分有二，傷寒十居其七，……），聽了真是令人毛骨悚然。當年的傷寒即是指與天氣寒邪為症候點和病理機制的寒性瘟疫。書中明確指出「外感之疾，日數傳變，死生往往三、五日間」，所謂外感就是指具傳染性，病情變化極快，死亡率高的瘟疫，顯然這不是一般的偶感風寒或感冒。

自古以來，瘟疫流行時，人類總陷於極度的恐慌中。臺灣的社會，媒體發達，疫情資訊透明，中央流行疫情指揮中心每日均公布疫情，並根據新的疫情採行新的防疫措施，其實民眾只要配合政府的防疫措施，大可不必過於恐慌；各級學校也即將開學，更要在防疫公衛教育上積極扮演更重要的的角色，教導學生正確的防疫觀念，相信在政府與民眾共同努力下，臺灣一定可以安然度過難關。

原文刊載於二〇二〇年二月二十四日《蘋果網路論壇》

【春來疫情難歇】靠天不如大家勤洗手、戴口罩

每年春天裡第一次聽到雷聲時，總有霍然而驚之感，這是春雷之聲，初聞雷聲，當然令人驚奮。前天是三月五日，時序來到驚蟄，驚蟄是仲春二月的節氣，也是二十四節氣中的第三個節氣。蟄是指動物昆蟲入冬以後藏伏土中，不飲不食（冬眠），隆隆的雷聲把蟄伏的昆蟲給驚醒，結束冬眠，這是驚蟄節氣中名稱的由來，也就是所謂的「春雷驚百蟲」。

春雷提醒了春天來了，綿綿細雨的春雨，滋潤片片嫩綠翠青，農人們開始一年的春耕忙碌，「鋤頭不停歇」，大地又熱鬧而忙碌起來，呈現一片生機盎然。

古時候，以五日為一候，三候為一氣（或稱節），每一候均以一種物候現象作為對應，叫候應。驚蟄的三個物候是：一候桃始華，二候倉庚鳴，三候鷹化為鳩。

桃花是第一個被雷驚醒的植物，經過寒冬的蟄伏後，終於春暖開始花盛開，

而桃花樹下，也流傳許多愛情故事，像唐朝詩人崔護有一年春天，經過一戶人家的門前，看見門旁盛開的桃花，和一個美麗的女孩，第二年他再拜訪時，一切依舊，但美麗的女孩卻不見了，崔護悵惘地在門扉上題了一首詩：「去年今日此門中，人面桃花相映紅；人面不知何處去，桃花依舊笑春風。」約在春天相見，結果桃花樹下物是人非，令人無奈？

在二候的五天裡，黃鸝鳥感受到春天的氣息，開始叫出清脆悠揚的歌聲；在驚蟄的最後五天，蟄伏隱匿的斑鳩，開始在叢林中嘰嘰喳喳鳴叫求偶。

唐朝詩人韋應物在驚蟄的節氣看到農民春耕時節辛勤勞苦的場景，觸景生情，寫下了〈觀田家〉的詩，大意是說春雨過後，所有的花卉都煥然一新，一聲春雷，蟄伏在土壤中冬眠的動物都被驚醒了，農民沒過幾天悠閒的日子，就又要春耕了。

年輕力壯的都到田野耕地去了，留在家的也都在收拾家裡的場圃，等到他們回到家裡，經常已經很晚了，可是他們還得把牛牽到西邊的山澗去喝水。這樣又累又餓，他們卻不覺得辛苦，只要看到滋潤作物的雨水降下，就充滿了歡喜。農民整天忙碌，可是糧倉裡卻沒有隔夜的糧食，朝廷的勞役仍然是沒完沒了。看到農民這樣辛勞，我這個不耕種的人深感慚愧，自己的俸祿都來自於這些種田的老百姓（微雨眾卉新，一雷驚蟄始。田家幾日閒，耕種從此起。丁壯俱在野，場圃亦就理。歸來景常晏，飲犢西澗水。饑劬不自苦，膏澤且為喜。倉廩無宿儲，徭役猶未已。方慚不耕者，祿食出閭里）。韋應物這首詩著實描述了驚蟄春雷響，萬物生，大地回春的節氣，也是春耕忙碌的季節。

古代的農民是以驚蟄有無雷聲來預測一年農作物是否豐收，如果在驚蟄之日響雷，當年會風調雨順，作物豐收（驚蟄聞雷，米如泥（很多的意思））；如果春雷在驚蟄前就響起，則表示當年雨水較多，暮春孟夏會常常下雨（驚蟄未到雷先鳴，大雨似蛟龍）；如果春雷在驚蟄之後，就會有旱災發生，農作物欠收（雷打驚蟄後，旱天到春后）（驚蟄未蟄，人吃狗食）。

最近網路傳著一則關於中國古代節氣與瘟疫的關係：瘟疫始於大雪，發於冬至，生於小寒，長於大寒，盛於立春，弱於雨水，衰於驚蟄。大家都在期待驚蟄日的到來，期盼新冠肺炎疫情儘速平息，其實驚蟄節氣萬物復甦，也是各種病毒和細菌活躍的時間，要期待疫情就此衰竭，根本是不可能。

前天是驚蟄日，臺灣的新冠肺炎確診病例新增二例，昨天新增一例，累積達到四十五例，疫情並無趨緩的現象，與其期待節氣的天助，不如大家勤洗手、戴口罩，照顧好自己的免疫力，做好防疫自我管理，那才是對付新冠肺炎的王道。

原文刊載於二〇二〇年三月七日《蘋果網路論壇》

【眼睛會說話】譚德塞開記者會時在想什麼

新冠肺炎（COVID-19）疫情全球持續延燒，全球確診病例達十二萬八千兩百六十五人，死亡人數達四千七百五十一人，世界衛生組織（WHO）三月十一日正式宣布新冠肺炎疫情已達「全球大流行」（Global Pandemic）。

世衛祕書長譚德塞接受訪問時表示過去兩週內，中國以外的確診病例暴增十三倍，受影響國家也增加三倍，預估未來幾週內，不論是病例數、死亡數和受影響的國家，都會繼續攀升。

但是，三月九日他才宣稱，93%的病例數都集中在四個國家內，只有少數國家有持續社區傳播現象，並且在中國超過八萬個病例中，逾七成已康復出院，當時他並未宣稱新冠肺炎為全球大流行疾病，他還解釋：「除非我們確定新冠肺炎不可控制，否則我們為何要將它定義為大流行？」譚德塞三月十一日的宣布等於推翻自己三月九日的說法。

事實上，新冠肺炎的病例數遠多於嚴重急性呼吸道症候群（SARS）、中東呼吸道症候群（MERS）、伊波拉（Ebola）病毒感染人數，而且疫情已在一百一十四個國家大肆傳播，南極洲以外的各大洲都傳出病例，這場疫情已符合過去對於「大流行」的定義—即當疾病擴散至許多國家或洲，且影響到一大群民眾。

世衛不知為何一直拒絕做此表述，直到三月十一日才承認新冠肺炎已是「大流行」，引起相當多的質疑。陳建仁副總統被詢問全球大流行的看法時，直呼「太晚了」。

人類歷史上有許多次全球大流行疾病，包括鼠疫、霍亂、天花。二十世紀至今爆發的大流行疾病共有四次，首先是一九一八年至一九一九年爆發的西班牙流感，造成全球兩千萬至五千萬人喪命；第二次及第三次是一九五七年的亞洲流感及一九六八年的香港流感，估計死亡人數約在一百萬至四百萬人之間；第四次則是二〇〇九年在墨西哥及美國爆發的H1N1新型流感，估計美國約有一萬兩千人死亡。

世界衛生組織自二〇〇三年SARS發生後，修訂《國際衛生條例》（IHR），為加強國際突發公衛事件應變能力，條例中定義「國際關注公共衛生緊急事件」（PHEIC）係指發生異常事件，透過跨國傳染疫病的方式，對其他國家構成公眾健康風險，且可能要國際合作採取共同防疫因應行動。迄今世衛組織共五次宣布國際關注公共衛生緊急事件，包括二〇〇九年H1N1新型流感、二〇一四年西非伊波拉病毒、二〇一四年小兒麻痺、二〇一六年茲卡病毒及二〇一九年剛果的伊波拉病毒。

今年元月湖北武漢肺炎疫情爆發，世衛在一月二十三日的疫情報告，將全情疫情風險列為「中度風險」，但隨即在一月二十七日的疫情報告中坦承在二十三日的風險評估犯了錯，將新冠肺炎的全球風險修正為「高度風險」。但一直到一月三十日世衛才宣布新冠肺炎疫情構成國際關注公共衛生緊急事件。譚德塞對疫情的判斷，總是那麼慢半拍，一再地誤判情勢，令人想不透，讓許多國家錯估疫情情勢，錯過提早防堵疫情的良機，真是成事不足，敗事有餘，居心叵測。

孟子說：「觀察一個人，再沒有比觀察他的眼睛更好的了，只要看他的眼神，就八九不離十的了解他了（存乎人者，莫良於眸子）。眼神無法掩蓋一個人的醜惡，心中光明正大眼睛就會明亮有神，內心不端正，眼睛就會昏暗不明（胸中正，則眸子瞭焉；胸中不正，則眸子眊焉），所以，聽一個人說話的時候，注意觀察他的眼睛，他的善惡真偽那裡能掩飾得住呢（聽其言也，觀其眸子，人焉廋哉）？」

文藝復興時期義大利畫家達文西也曾說過「眼睛是心靈的窗戶」，心裡怎麼想，眼睛就會怎麼說話。白居易的〈長恨歌〉即說「回眸一笑百媚生，六宮粉黛無顏色」，你就知道楊貴妃的眼睛多麼能說話了。

由眼睛觀察人有幾個簡單的原則，傲慢的人和人說話時，他的眼睛總往上看；而眼睛總是往下看的人，往往是在打鬼主意；當小偷的人，走在路上，眼睛就斜向兩邊瞟，心中在盤算有什麼東西可以偷。

各位可以觀察譚德塞開記者會時，眼神老是往下看，就可以約略知道這個人是有所圖謀的。他總是第一時間低估疫情，許多人強烈認為他不適合擔任世衛祕書長，因此要求譚德塞立即辭職負責的聲浪愈來愈高，全球連署罷免他的人數已超過四十四萬人。他一個人的失職，讓世界許多國家，未能提高警覺而疏於防疫，造成全球重大傷亡，真是造孽啊！

原文刊載於二〇二〇年三月十三日《蘋果網路論壇》

春遊無限好，只是瘟疫中

一月二十一日，一位在武漢工作的五十五歲女臺商因有發燒咳嗽等症狀，返臺後一下機，就直接被送就醫，這是臺灣出現的首例新冠肺炎確診病例，從那天起，臺灣將防疫指揮中心由三級提高到二級開設。中間經過農曆春節假期，一月三十日是春節後的開始上班日，確診病例累計出現九例，一月三十一日世衛組織宣布將新冠肺炎疫情列為「國際公共衛生緊急事件」，隨後，二月二日教育部宣布全國高中職以下學校，開學延後兩週，從二月十一日延後到二月二十五日，二月三日又宣布大專校院開學時間延後至二月二十五日之後，這場防疫的戰爭，全國各界無不配合政府的防疫政策，戮力以赴，隨著疫情的全球擴散，因應疫情的應變方案，也是隨時滾動式修改調整，忙碌中不知不覺已過春分節氣（三月二十日），離第一例病例確診的時間正好是兩個月。

春分是一年的第四個節氣，介於驚蟄與清明之間，春分這一天就是春天過了一半的意思（分者半也），也就是從立春到立夏的春季九十天剛好過了一半的意思。春分還有另一個含義，就是「日夜分」，就是白天黑夜時間一樣長，各為十二小時，所以俗諺有「春分晝夜半」，過了春分，北半球的白天就會越來越長了，而夜晚一天比一天短。

春分的三個物候是一候玄鳥至，二候雷乃發聲，三候始電。春分節氣，降雨會開始增多，閃電常會伴隨著雷雨天氣出現，春雨潤物是上天給的禮物。唐朝詩人元稹有一首〈春分二月中〉的詩：「二氣莫交爭，春分雨處行。雨來看電影，雲過聽雷聲。山色連天碧，林花向日明。梁間玄鳥語，欲似解人情。」元稹把古代相傳的物候現象精準地寫入詩裡，也寫出了節候、氣象、山色、景物、鳥語與花香。

春分前後，鶯飛草長，岸柳青青，王安石有一首名詩：「京口瓜洲一水間，鍾山只隔數重山。春風又綠江南岸，明月何時照我還。」這是王安石回京擔任相職的時候，一行人停泊在瓜洲稍作休息，遙望對岸京口，只隔著一條大江，而故鄉鍾山，又只和京口隔著幾重青山。王安石遙望江南景色，春風吹綠了江南岸邊的美景，帶來了蓬勃的生機，何時我才能迎著月光回到故鄉鍾山呢？王安石或許是近鄉的情緒使然，也或許是想起自己伏盪的宦海生涯，引發了他的思鄉情懷，寫下了這首名詩〈泊船瓜洲〉。

燕子是著名的候鳥，它不僅春分來報春，還會帶來一整年的好運，因為它是吉祥的象徵。自古以來即傳說，每當燕子在誰家築巢，就代表誰家有著好福氣，會讓子孫興旺。燕子是帶有靈性的動物，在築巢的時候，牠會選擇環境優美，能夠保障牠們安全的家庭去築巢，因此家有燕子築巢即象徵這家人是善良、吉祥，燕子不會去那些做惡多端的人家去築巢（燕子不入惡人家）。許多完工的新屋，常有燕雀在梁上築巢，燕語呢喃，好像在互相慶賀什麼似的，因此我們在祝賀人家新屋落成，常用「燕雀相賀」這個成語。

唐朝詩人劉禹錫有一天走到繁華的金陵烏衣巷口，想起六朝時期王導及謝安兩大家族的豪門大宅，如今皆已衰敗，往日的富麗景象不復存在，他感嘆豪門貴族盛衰的無常，寫下了膾炙人口的詩〈烏衣巷〉：「朱雀橋邊野草花，烏衣巷口夕陽斜。舊時王謝堂前燕，飛入尋常百姓家。」當時在華麗屋簷下築巢的燕子，已經飛到平常的百姓家中築巢去了！劉禹錫對於富貴如浮雲的認識可謂深刻入微，他用優美的文字將深邃的思想表達在極富美感的景物描畫中，真是千古絕唱。

春分時節，風和日麗、春暖花開，明媚的春光正是春遊踏青的好時節。歐陽修對春分踏青有一段精彩的描述在〈阮郎歸‧南園春半踏青時〉。大意是說：在園林中春日郊遊，和暖的春風中，時時聽到馬的嘶鳴聲。青青的梅子結得像豆子那麼大，細嫩的柳葉，長得像美人的眉毛般。過了春分的節日，白天漸漸長了，蝴蝶輕盈的飛舞。花上露珠晶瑩，春草茂密，這戶人家已放下窗簾。她踏青又擺盪鞦韆，不覺格外睏倦，遂解羅衫床上眠，伴她的只有梁上雙燕（南園春半踏青時，風和聞馬嘶。青梅如豆柳如眉，日長蝴蝶飛。花露重，草煙低，人家簾幕垂。鞦韆慵困解羅衣，畫堂雙燕歸）。

有一天，子路、曾點（即曾皙，曾參的父親）、冉求、公西華四個人陪伴在孔子身旁，孔子要他們四個人談談志向，子路、冉求和公西華分別說了各自的治國的方法。之後，就輪到曾點了。曾點說：「我和他們三個人剛才所講的意見不同（異乎三子者之撰）。」孔子說：「那有什麼關係，這並不會矛盾衝突，只不過是關起門來，談談個人的思想與志向而已，你儘管說吧（何傷乎？亦各言其志也）！」曾點說：「暮春三月時，冬衣一換，穿上春天舒適的衣服，我和五、六個青年人，六、七個少年人，一起到沂水邊去戲水游泳，在舞雩下乘涼吹吹春風，大家悠哉悠哉地玩，盡興之餘，大家高興快活地唱著歌回家去（莫春者，春服既成，冠者五六人，童子六七人，浴乎沂，風乎舞雩，詠而歸）。」孔子聽了以後，大聲感嘆地說，我贊成曾點的看法（吾與點也）。曾點所講的境界，其實是社會安定、經濟穩定、百姓生活自在、天下太平的社會，這樣的社會才有個人的精神享受，這樣的社會，人們如同生活在春天裡，如同春遊一樣美好。

現在新冠肺炎疫情全球傳播，不管到那裡，好像都覺得很緊張，這星期以來，臺灣新增的確診病例，幾乎都與有出國旅遊史有關，新冠肺炎的疾速傳播，已演變成近代全球規模最大流行最廣的一場瘟疫，各國紛紛鎖國防疫，這是時代的劇變，遍地都有疫情，疫情瞬息萬變，我們都應該共體時艱，暫時放下個人的生活享受及春遊欲望，儘量宅在家，等待雨過天青。借用朱自清的詩作為本文的結束：燕子去了，有再來的時候；楊柳枯了，有再青的時候；桃花謝了，有再開的時候。疫情總有過去的一天，美好的春遊是可再期待的！

原文刊載於二〇二〇年三月二十三日《蘋果網路論壇》

【臺灣掃到風颱尾】怨天尤人譚德塞

新型冠狀病毒（COVID-19）疫情全球延燒，自從中國大陸官方通報武漢地區首例新冠肺炎病例以來，四月九日剛好是疫情滿一百天，今天全球確診人數超過一百八十五萬人，死亡人數逾十一萬人。世界衛生組織（WHO）的防疫作為遭受外界抨擊，美國總統川普砲轟WHO以中國為中心，錯過防疫黃金時間，將考慮暫停資助，更直言WHO「真的搞砸了」，引發關注。

WHO祕書長譚德塞出席四月八日WHO例行的記者會，先是按照慣例，念著新聞稿表示，很難相信這一百天以來，世界竟然發生這麼劇烈的變化，他同時也詳述交代WHO過去一百天的工作及未來目標。記者會中有記者針對川普對WHO指責一事提問，譚德塞表示：「對個人來說，我不在乎，我專注於救人，我為什麼在乎被罵。」他不斷重申：「我只在乎救人，沒有時間浪費。」後來，譚德塞話鋒一轉，首度在WHO例行記者會公開點名臺灣，宣稱近三個月遭到臺灣網民人身言語攻擊及種族歧視，還連講三次「就是臺灣」，飆罵三分鐘，還氣憤地直說「夠了！真的夠了！」譚德塞在公開場合的言語，顯然失態、失控。

對此，蔡英文總統表示，想要邀請譚德塞訪問臺灣，感受臺灣人民如何努力在遭受歧視和孤立之中，堅持走向世界，貢獻國際社會。中央疫情指揮中心指揮官陳時中也在記者會中表示「與其有時間罵臺灣，不如花時間向臺灣學習」，也歡迎譚德塞來看看臺灣國家動員及人民素養，如何支援防疫。

譚德塞在WHO記者會狂罵三分鐘，主要場景是一名CNN記者針對美國總統川普的指責一事，向譚德塞提問是否對他有心理影響？他在回覆記者提問後，開始怒罵指責臺灣網民對他做人身及言語攻擊。譚德塞的行為其實就是「遷怒」，就是脾氣亂發，把怒氣發洩到無關的人身上，閩南語有句俗語「見笑轉生氣」，意思是說當事人受到批評或是做錯事情而受人指責，因為沒有辦法化解其當下情況，只好選擇用生氣來轉移焦點以緩解狀態。譚德塞試圖轉移世界各國對其領導的質疑，把怒氣發洩到臺灣人民身上，講話才會大呼小叫（大細聲）。

其實，每個人都有羞恥之心，有的人感到難為情時，會設法改正錯誤，有的人卻硬著頸項，不願悔改，反而發思來掩蓋自己的羞恥，指責他人，這種情形就是「惱（老）羞成怒」。譚德塞因被川普指責，自覺羞愧到極點而惱恨發怒，真是「惱（老）羞成怒」啊！譚德塞一點事情不高興，就把脾氣發到別人身上，不能反省自肅，身為WHO祕書長，是領導別人的，受人物議，也是必然的，在公眾的場合理應格外謹慎應對才是，廣大包容的氣度也是作為領導人更應注意的人生修養。

我們都有遷怒的經驗，最容易遷怒的是自己的家人，在外面受了氣回到家，有時老婆（老公）好心前來噓寒問暖，就不給老婆（老公）好臉色、好語氣，這就是遷怒了，其實並不是罵老婆（老公），而是在外受了氣，無處可發，向老婆（老公）遷怒了。所以有時候對長官、對朋友也要原諒，很多人挨長官的罵，可能是這位長官碰巧有件事沒處理好，正在煩惱的時候，你再去找他，自然而然地就挨他的罵，這是被遷怒了，就是臺灣俗話說的「掃到風颱尾」啦！譚德塞如果忍住怒火，事情不至於引發那麼大的風波，他這一次賭氣真是賭大了。

孔子有一天感嘆沒有人瞭解他（莫我知也夫）！子貢聽見了說：「老師何必那麼悲觀，怎麼會沒有人瞭解你呢（何為其莫知子也）？」孔子的政治理念，一直得不到當時各國君王的重用，但他不埋怨上天，也不曾責怪任何人，而是認真學習人事的道理，不為現實所困，深信其心志可以上達天聽，因此超越世俗，對人世間也不要求別人的瞭解，存心自有天知（不怨天，不尤人；下學而上達。知我者，其天乎）？（《論語．憲問》）譚德塞遇到困難不如意時，只會歸咎於客觀環境，認為這是上天給他的不幸，是「怨天」；埋怨別人，諉過於人，反正是「我沒有錯」，這就是「尤人」。孔子是「不怨天，不尤人」；譚德塞是「既怨天，又尤人」。

譚德塞在疫情爆發初期，對疫情可能的發展判斷錯誤是事實，應對疫情也值得檢討，對待臺灣也不公平。荀子有言：「有自知之明的人，不會責怪別人，知命的人不會怨恨上天，責怪別人容易陷於困窮，怨恨上天容易失去志識。做錯事情的人明明是自己，反過來卻去責怪別人，這豈不是很迂拙嗎（自知者不怨人，知命者不怨天。怨人者窮，怨天者無志。失之己，反之人，豈不迂乎哉）？」（《荀子．榮辱》）。譚德塞事到臨頭才來怨天尤人，那不但對事情毫無助益，反而可能會招來更多的羞辱。

譚德塞自稱隱忍三個月臺灣對他的攻訐，尤其是種族歧視的不再容忍，掀起一波輿論戰。其實，自重者人恆重之，一個人如果不先做出輕慢的行為，他人也是沒機會可以侮辱他的；譚德塞這次飆罵臺灣三分鐘，算是點燃戰火，有沒有道理，讀者自有公斷。但是，譚德塞要自我反思一下，也可能會發覺自己的作為一定有什麼不對的地方、使人討厭的地方，才會召來這個後果，所以孟子才會說「夫人必自侮，然後人侮之」。譚德塞今日的後果，不必先怪別人，一切均是他咎由自取。

原文刊載於二〇二〇年四月十三日《蘋果網路論壇》

【陳昇瑋辭世】從古至今，天妒英才又一例

臺灣人工智慧（AI）學校執行長、玉山金控科技長陳昇瑋於四月十一日辭世，震驚科技界與金融圈，科技業與學界人士形容這是「人工智慧界最悲痛的一天」。

據聞，陳昇瑋是於假日溜直排輪運動，過程中一度跌倒，當下並無發現異狀，運動結束開車返家途中，身體突然發生不適，陷入昏迷，經緊急送醫急救，多日後仍不幸辭世，士林地檢署司法相驗後判定是意外身亡，消息傳出，令人不勝唏噓。

陳昇瑋今年才四十四歲，是臺大電機工程學博士，是臺灣知名的資料科學教父及AI頂尖專家，他的頭銜很多，擔任臺灣AI學校執行長、臺灣首位金控科技長、臺灣AI產業教父等。

從二〇一八年初臺灣AI學校正式創立到二〇一九年底，累積超過一千五百家

企業、六千位校友參與AI培訓課程，他致力培育AI人才，推動產業AI化，這樣的成績被許多人稱為「不可能的人才基礎工程」，他真的是無私付出貢獻社會。中央研究院院長廖俊智稱他是「百年難得一見才子」，如今四十四歲驟逝，各界均表震驚與哀悼，深慟國家痛失AI英才，社會痛失AI棟梁，是臺灣AI產業的重大損失。

春申君是戰國時代楚國的政治家，與趙國平原君、齊國孟嘗君和魏國的信陵君合稱「戰國四公子」。他在楚考烈王時期官至宰相，有一天考烈王生病了，春申君門下有一位門客名叫朱英，對春申君說：「世有毋望之福，又有毋望之禍，今君處毋望之世，事毋望之王，安可以無毋望之人乎？」（《史記・春申君列傳》）。

意思是說：世界上往往有意想不到的洪福，也往往有意想不到的災禍，生死無常，你現在又是處在一個意想不到、禍福不定的時代，而且侍候著一個意想不到、寵幸不可恃的國王，在這種情況下，你怎麼可以沒有一個意想不到的貴人來給您幫忙呢？

易經六十四卦中有一卦就叫做無妄卦，卦中有個詞叫做「無妄之災」，意思是，你也沒做什麼錯，沒得罪什麼人，沒來由地就遭遇了某種災禍，就是我們平常所說的「閉門家中坐，禍從天上來」，這就是所謂的無妄之災。相反的，也可能有天上掉下來的禮物，這又稱無望之福。

陳昇瑋只是陪女兒假日去溜直排輪而跌倒，竟導致嚴重腦出血而致死，真是意想不到。一個很有才智，很傑出的人，這麼年輕，老天爺便早早地收去了他的生命，真是天不假年，英年早逝。

王勃是初唐四傑（王勃、楊炯、盧照鄰、駱賓王）之首，一生只活了二十七歲，在中國文學史上，如流星劃過天際，短暫而絢爛。他自幼聰敏過人，六歲時即寫得一手好文章，九歲時讀了顏師古的《漢書注》，便寫出《指瑕》的學術著作，指出了顏氏注解中的許多錯誤，十四歲時被當作神童舉薦，開始當官。

初唐時，皇子們閒著無聊，盛行鬥雞活動，王勃仗著自己的才氣，替他的主子沛王寫了一篇〈鬥雞檄〉的文章，這是一篇討伐英王（沛王之弟）的雞的戲謔之作，惹火了英王，唐高宗看了也勃然大怒，認為是挑撥諸王之間的關係，就把王勃趕出沛王府。

王勃的〈滕王閣序〉是一篇千古傳誦的佳作，這是王勃要到交趾去探望父親時，途中經過洪州（即今之南昌），正趕上都督閻伯嶼新修滕王閣落成，重陽節在滕王閣大宴賓客，席間寫成的。

這篇文章留下了許多經典名句，「落霞與孤鶩齊飛，秋水共長天一色」就是其中之一，當王勃寫下這二句時，閻都督不禁讚嘆「此真天才，當垂不巧」。王勃不但文章寫得好，詩也寫得十分出色，「海內存知己，天涯若比鄰」這二句，意蘊深遠，千百年來引起人們的共鳴。只可惜，萬萬沒想到的是，王勃還沒到達目的地交趾，在乘船渡過南海時，不幸溺水而死，真是「無妄之禍」，這年他只有二十七歲，死得太早了，不然，一定會留給後人更多精彩的文章與美麗的詩篇。

古今中外有不少的才子，正值意氣風發之時，英年早逝，令人扼腕嘆息。奧地利的莫札特（Mozart）也是一例，世人稱他為「音樂神童」。他三歲時即展露音樂才華，有一天他聽姊姊上的音樂課以後，就在鋼琴上彈奏他姊姊所學的一首樂曲，他父親看到他有音樂天才，在他四歲時，就讓他學習音樂。他學習很快，五歲時，不但彈奏很好，而且也寫了許多曲譜。

十三歲那年，莫札特到義大利舉行音樂會，他到羅馬時，正值聖週，聖歌

〈苦難〉是梵諦岡西斯汀教堂的獨家財產，不允許人抄錄，許多人都曾試圖把它記錄下來，但都失敗，莫札特只聽兩次，就記起來，把這首曲子譜出來。莫札特不但擅長交響樂，也是寫歌劇的能手，《費加洛的婚禮》、《魔笛》、《唐・喬凡尼》都出自其手，可惜，三十五歲時，便一病不起，他的《D小調安魂彌撒曲》成為他未完成的遺作，莫札特在其短暫的生命裡，將古典音樂風格發揚光大，其作品對後世均有極深的影響。

人生的價值向來不是以壽命的長短來確定的，王勃與莫札特雖然都命短，但王勃的詩文卻是留傳千古，莫札特的作品更是具有綿延的生命力，可謂「聲」名遠播、「音」容宛在。臺灣AI的奇才陳昇瑋，對AI人才的培育奉獻犧牲，對AI產業的推動不遺餘力，雖然英年早逝，未來得及看到自己播下的種子成長與茁壯，但筆者相信他的影響力會像雪球一樣，越滾越大。

原文刊載於二〇二〇年四月十七日《蘋果網路論壇》

穀雨不來——氣候變遷，臺灣應有面臨乾旱的準備

新冠肺炎（COVID-19）疫情持續肆虐，全球確診人數已超過兩百三十萬人，死亡人數也逾十六萬人。防範新冠肺炎除了戴口罩之外，就是勤洗手，因此民生用水量會增加，乃屬必然，但因受到疫情影響，工業與商業用水反而會下降。根據水利署統計，去年十二月至今年二月之枯水期，主要集水區降雨量不及去年同期六成，今年的春季偏暖，春雨又偏少，導致臺灣各水庫出現水位下滑的情形，資料顯示，目前供給新北、新竹及桃園的石門水庫蓄水量僅剩40.8%，供給臺南及嘉義的曾文水庫蓄水量僅剩15.22%，擔負臺南及高雄地區公共給水之南化水庫蓄水量只剩25.71%。

春雨不來，各地水庫水位開始吃緊，昨天（四月十九日），正好是二十四節氣中的穀雨節氣，也是春天的最後一個節氣，再過二星期就進入夏天了（立夏），再不下雨，就得等五、六月的梅雨季，水庫才能解旱了。

穀雨是二十四節氣中的第六個節氣，也是春季的最後一個節氣。穀雨時，正是暮春三月，天氣溫和，農民已在田裡插秧，作物新種，稻田裡的秧苗，需要豐沛雨水來滋潤，恰好此時雨水會明顯增多，有利於穀類農作物的生長，所以叫做「穀雨」，也就是古時候所謂的「雨生百穀」的意思。穀雨恰好像是及時雨，如果穀雨節氣不下雨，俗諺說「穀雨不雨，後來哭雨」。

穀雨的物候：一候萍始生；二候鳴鳩拂其羽；三候戴勝降於桑。浮萍不能經霜，所以「浮萍生」意味著春寒的低溫不會再發生，反之，如果水面不生浮萍，那麼陰寒的天氣可能會再出現。浮萍是一種生長在水面的水草，有鬚根下垂水中，會隨水流四處漂動，隨波逐流，古人觀察浮萍的漂動，覺得人生聚散有如浮萍，所以有「萍水相逢」的說法。王勃的〈滕王閣序〉有「萍水相逢，盡是他鄉之客」的名句，意指素不相識的人，因機緣巧合偶然相逢。

鳩是斑鳩或布穀鳥，穀雨時節，布穀鳥在枝頭上拍打著翅膀，振翼高飛，提醒人們不要忘記耕作時節（飛而兩翼相排，農急時也）。相傳古代蜀國有位受百姓愛戴的君主，名叫杜宇（號望帝），他死後靈魂化作杜鵑（又名子規），每到春天穀雨時節，就會在山中呼喚著「布穀—布穀—」（因此人們又稱杜鵑鳥為布穀鳥），急切催促百姓下田播種，日夜悲啼，叫聲十分哀怨悽苦，一直到啼出血來，這些血滴在山上的花上，染紅遍野，就成了紅艷的杜鵑花。後人遂用「望帝啼鵑」比喻悲魂的哀鳴，「杜鵑啼血」用以描寫哀怨悽涼的心情。

李商隱寫過「莊生曉夢迷蝴蝶，望帝春心託杜鵑」的名句，他借望帝啼鵑的故事，抒發他心中的悲傷，就像是杜鵑哀鳴般，直到泣血仍執著不悔。宋朝短命詩人王令有一首〈送春〉的詩：「三月殘花落更開，小檐日日燕飛來。子規夜半猶啼血，不信東風喚不回。」這首詩王令表達了執著追求美的未來之堅定信念和樂觀精神，頗有頑強進取之意。

古時候，穀雨時節最忙碌的大概是採桑的人了，此時正是養蠶的大好時機，一抬頭便可以在桑樹上看見戴勝鳥。《孟子．梁惠王》有云：「五畝之宅，樹之以桑，五十者可以衣帛矣！」意思是說使每戶農家在五畝住宅的空地上，種桑樹養蠶，五十歲的老人，就可以穿綢衣服了。可見古代種桑的普遍和桑樹的重要性，桑蠶更是重要的衣著原料，與民生經濟關係密切。

孟浩然的〈過故人莊〉有「開軒面場圃，把酒話桑麻」的名句。由於桑樹與梓樹同是古代民宅附近最普遍栽種的植物，因此以「桑梓」作為故鄉的代稱。大海變桑田「滄海桑田」，喻為世事變化很大，歷盡（飽經）滄桑的滄桑其實就是滄海桑田的略語，從這二個成語，我們可以略知在古人的觀念裡，桑田的重要性。

穀雨自古以來即是時令與稼穡農事緊密對應的一個節氣，「暮春三月，江南草長，雜花生樹，群鶯亂飛。」（丘遲〈與陳伯之書〉）。無奈春雨不來，氣候顯然有異，如果梅雨不帶來雨水，臺灣恐要有面臨乾旱的心理準備。

二〇二〇年開始至今，全球都在與新冠肺炎病毒抗爭的同時，在非洲則是經歷著另一場災難—蝗災，這場災難的罪魁禍首當然與氣候變遷有關，氣候變遷導致的溫度和降雨變化，極端氣候事件的發生頻率加劇，引發乾旱、洪災、蟲害等，都將使得全球糧食生產面臨空前的挑戰，氣候變遷對糧食生產帶來的影響是任何一個國家都需要面對的，因此，每一個國家要跟現在面對新冠肺炎疫情一樣，面對氣候變遷也要開始更積極地付諸行動。

原文刊載於二〇二〇年四月二十日《蘋果網路論壇》

【二十二天無本土病例】做好個人防護，讓臺灣疫情早歇

五一連假結束，1968APP 監測點普遍出現人潮稀疏情形，反而是未列入監測點的不少景點人潮擠爆，呈現一冷一熱兩樣情。

國內疫情已連續二十一天無本土病例，中央流行疫情指揮中心指揮官陳時中曾說：陸續開放經濟活動，民眾可以參與戶外藝文活動，體育賽事，至餐廳或小吃店用餐等，回歸正常生活指日可待，但他並未說明解禁進度。

臺南市白河區公所五月二日在非 1968APP 列入監測的林初埤木棉花道旁舊鐵道的戶外辦理白河模範母親表揚活動暨蓮花季開幕，旁邊一大片的蓮花田美景，反倒吸引不少遊客，相當熱鬧，在緊張的疫情中，增添了悠閒輕鬆的氣氛。

蓮花就是荷花，是夏月盛開的花，屬多年生草本植物，它的根莖生長在池塘或河流底部的淤泥上，葉大而圓，柄細長，荷葉挺出水面，所以有「出淤泥而不染」之說。臺南白河有蓮鄉美稱，自蓮花季開辦以來，每年夏季吸引大批遊客前

來旅遊觀賞。

平常形容女孩子容貌清麗都說嬌豔如「出水芙蓉」，這個芙蓉就是荷花的古（別）稱。花或瓜果與枝莖相連接的部分稱為「蒂」，兩朵荷花並生一蒂，稱為「並蒂芙蓉」，我們通常用「並蒂芙蓉」來形容夫妻很恩愛或兩相媲美的姿色，這典故來自杜甫的〈進艇〉詩：「俱飛蛺蝶元相逐，並蒂芙蓉本自雙。」「俱飛蛺蝶」與「並蒂芙蓉」宛如兩個相愛的戀人雙宿雙飛，永不分離之意。

在中華文化裡，以牡丹象徵富貴，以菊花象徵隱逸，而以蓮花象徵君子。北宋大儒周敦頤的〈愛蓮說〉寫到：「予獨愛蓮之出淤泥而不染，濯清漣而不妖，中通外直，不蔓不枝；香遠益清，亭亭淨植；可遠觀而不可褻玩焉。」對蓮花的讚譽可謂淋漓盡致。

清朝文學家張潮在其《幽夢影》一書中對蓮花更是推崇備至，他說：「自然界裡，只要花的顏色嬌媚動人的，大都不會太香；花瓣層次越多的，也大都不會結出果實，要想得到色妍而花香，瓣多而結實的全才，那是很難得的，在花的世界裡，能夠色香俱全，瓣實兼豐的，大概只有蓮花了（凡花色之嬌媚者，多不甚香；瓣之千層者，多不結實。甚矣！全才之難也！兼之者，其唯蓮乎）！」

柳下惠是春秋時代魯國大夫展禽，他名獲，字禽，一字季，因食邑在「柳下」，諡惠，所以後人稱他「柳下惠」。有一次柳下惠出遠門，晚上住在都城門外，當時天氣嚴寒，忽然有一位女子來投宿，柳下惠恐怕她凍死，就讓她坐在他懷中，用衣服蓋住她，一直到第二天天亮也沒發生越禮之事，這是柳下惠「坐懷不亂」的故事，後人就用「坐懷不亂」比喻男人行事端正，雖與女子同處而不淫亂。柳下惠在中國文化史上就代表非常有正義感的人，也是非常有俠義精神的人。

孟子稱其為「聖之和者也」，就是指柳下惠到處都能與人和平相處，和而不同，同流而不合汙，因為柳下惠認為：你是你，我是我，你脫光了在我旁邊也沒關係，你雖然脫光了，我還是衣冠整齊哩！你的汙點，到不了我身上來（爾為爾，我為我，雖袒裼裸裎於我側，爾焉能浼我哉）？張潮的《幽夢影》也說：蓮花是花中的柳下惠，意指出蓮花出淤泥而不染。

《列子・楊朱篇》對柳下惠「坐懷不亂」這件事情做了評論。楊朱說：「展季非亡情，矜貞之郵，以放寡宗。」意思是說柳下惠難道對人世間所謂的情欲，真的沒有了嗎？不是的，那是因為他的情欲轉向了，轉到堅持自己的貞節境界，想要廣布出去，宣揚出去，因此做到寡情，好像沒有情欲，但其實是為了養成自己的「貞」，實際上這也是「欲」，也像修行人「以戒為師」、「守戒為欲」。

蓮花的果實稱為蓮，埋在土裡的根狀莖稱為蓮藕，蓮子與蓮藕都是國人愛吃的食物。蓮藕切開後，中間有細藕絲相連，意即表面上斷絕關係，實際上卻仍有牽連，就是「藕斷絲連」。唐代詩人孟郊〈去婦〉詩：「君心匣中鏡，一破不復全。妾心藕中絲，雖斷猶牽連。」詩主要描寫棄婦內心的惆悵與哀怨。

詩中以「匣中鏡」與「藕中絲」做對比，意指丈夫的心有如鏡子，破了就不可能修復重圓，而自己的心，卻有如藕絲一般，雖然斷了，但絲仍相連。「藕斷絲連」的成語，就是從這裡演變而來，比喻沒有完全斷絕關係，情意未絕之意。孟郊有一首溫暖的作品〈遊子吟〉在母親節前夕值得一提：「慈母手中線，遊子身上衣。臨行密密縫，意恐猶遲歸。誰言寸草心，報得三春暉？」筆者已為人父，每次看到有孝子、孝女被稱讚，總是想起母親養育成人的恩澤，作為子女的哪裡報得了母親彷彿春天陽光般溫暖慈愛的養育之情呢？不禁感嘆：誰言寸草心，報得三春暉。

蓮花是佛教的教花，諸佛菩薩都坐在蓮花坐上，西方極樂世界以九品蓮花化生，都說明了蓮花是吉祥物，而觀世音菩薩的心中秘語「唵嘛呢叭咪吽」這六字真言，翻成白話文即是「妙哉蓮花生」的意思，當然也有「向持有珍寶蓮花的聖者祈請，催破煩惱」之意，也就是經由祈請觀世音菩薩能清淨我們的身口意，讓我們獲得清淨原始地位，就像蓮花一樣，出淤泥而不染。

這次新冠肺炎疫情爆發，臺灣對疫情的管控可圈可點，深受世界各國的肯定，這樣的防疫成果，除了中央流行疫情指揮中心帶領全民一起努力外，筆者相信，臺灣人民也深受諸佛菩薩的庇蔭，天佑臺灣，我們期待臺灣疫情本土病例早日歸零，雖然新冠肺炎疫情仍然籠罩全球，但只要我們把個人防護做好，維持社交距離，相信恢復正常生活的日子就不遠了。

原文刊載於二〇二〇年五月四日《蘋果網路論壇》

【謝志宏洗冤】死囚逆轉改判無罪　五月幸未飛霜

二〇〇〇年六月二十四日凌晨，十八歲陳姓女子在臺南歸仁遭人性侵，砍殺四十八刀致死，目擊的老農也遭滅口，警方查出郭某行凶，郭某向警方咬出謝志宏是共犯，這是二十年前震驚社會的臺南歸仁雙屍命案。九度被判死刑，最高法院二〇一一年判處死刑、褫奪公權終身定讞的死囚之一謝志宏，二〇一八年因臺南高分檢檢察官發現新事證，提再審聲請，經臺南高分院二〇一九年裁准再審，並暫停死刑執行，無保獲釋。

臺南高分院五月十五日以當年對謝志宏不利的警詢自白錄音帶至今未找出，同案另一凶嫌證述前後不一，可信度有疑，及死者刀傷狀況、相關科學鑑定及證據，無法證明謝有涉案，合議庭引用宋朝宋慈所著《洗冤集錄》：「事莫大於人命，罪大莫於死刑，殺人者抵，法故無恕，施刑失當，心則難安，故成招定獄全憑屍傷檢驗，……倘檢驗不真，死者之冤未雪，生者之冤又成，因一命而殺二命，仇報相循慘何抵止。」臺南高分院合議庭認為罪證不足，依無罪推定原則，改判謝無罪。

謝志宏這幾年未被挑選為死刑執行的對象，實屬不幸中的大幸，設若他已被執行槍決，就沒有今日的無罪判決，他的冤情將無法獲得平反昭雪，就成為冤獄一樁。我們常常稱冤獄為「五月飛霜」或「六月飛雪」，你知道它們的典故嗎？

相傳戰國時期，鄒衍受到燕昭王的重用，忠心協助他治理燕國，然而燕昭王過世後，燕惠王對鄒衍並不信任，又聽信旁人的讒言，讓鄒衍蒙冤下獄，鄒衍委屈，痛哭流涕，當時正值盛夏五月，竟然上天降起霜來，燕惠王意識到鄒衍的冤屈，就把他釋放了，他的冤情得到昭雪平反，這就是「五月飛霜」的故事。

關漢卿是元代最有影響力的戲劇家，被稱為「東方的莎士比亞」，《感天動地竇娥冤》是他戲劇的代表作，它不僅是元代最具震撼力的傑作，也是世界聞名的一部傑出的悲劇作品。

劇本寫竇娥一生曲折的生活歷程，竇娥家境貧寒，三歲喪母，七歲時，父親竇天章為了還債和換取赴京趕考的旅費，將她賣給蔡婆婆當童養媳，十年後，與蔡婆婆兒子成婚，但不幸丈夫早死，婆媳相依為命，過著清苦的日子。地痞張驢兒父子藉口救過蔡婆婆的命，趁人之危，強搬進蔡婆婆家居住，逼迫婆媳二人嫁給他們。蔡婆婆半推半就居然答應了，但竇娥堅決不從，張驢兒就在湯裡下了毒藥，想毒死蔡婆婆，再強佔竇娥，誰知張驢兒的父親不知湯裡有毒，誤喝毒藥身亡，張驢兒趁機嫁禍於竇娥，想威脅竇娥成親。竇娥不從，張驢兒就去官府告狀，竇娥自認問心無愧，認為官府可以還她清白，誰知官府草菅人命，將竇娥屈打成招，竇娥被判死刑，造成千古冤案。竇娥被綁赴刑場時，她滿腔悲憤地罵，連天地都罵了（地也，你不分好歹何為地？天也，你錯勘賢愚枉為天）！

臨刑前，竇娥發下三樁誓願：一、刀過頭落，鮮血半點不落地，都飛濺到懸掛的一丈二尺長的白綢上（血濺白練不沾地）；二、當時正是炎熱六月三伏天，要天降三尺瑞雪，以掩蓋屍體（六月飛雪）；三、讓當地接連大旱三年。結果發誓全部戲劇性地應驗。這說明竇娥的冤屈太大了，連老天和大地都氣得發怒失常。後來，人們習慣用《竇娥冤》的「六月飛雪」來形容天下奇冤。關漢卿接著又安排竇娥的冤魂出場，讓她向考中進士到當地來肅政訪廉的父親告狀，使冤案最終得到平反。

據報載，當年警察偵訊時，謝志宏曾自白犯罪後來翻供，說認罪自白是被刑求的結果，但過去歷審都未被採信，合議庭至今也沒找到當年偵訊時謝的自白錄音帶。人之常情，平安便喜歡活著，痛苦便想尋死。在木棍荊杖鞭打的痛苦下，有什麼想要的答案（口供）得不到呢？所以犯人在受不了疼痛時，便會說假話招供認罪；審案的官吏利用這個道理，便牽引法律來指點罪犯應該招認這樣的罪狀；又擔心案子呈報上去會被批駁，便斟酌文字，多方羅織罪狀，陷人於罪（夫人情安則樂生，痛則思死。棰楚之下，何求而不得？故囚人不勝痛，則飾辭以視之；吏治者利其然，則指道以明之；上奏畏卻，則鍛鍊而周內之）。這是西漢路溫舒在其〈尚德緩刑書〉露骨地表達了審案官吏在訊問罪犯時的冷血殘酷，以刑求逼供，逼使囚人造假承認罪名。

在古代，想要防止冤案的發生，似乎只得靠官吏的自由心證以及他們的正義感和道德感了。民主法治時代，證據之取得違法，不可被採用；被告之自白，也不得作為有罪判決之唯一證據，仍應調查其他必要之證據，以察其是否與事實相符，《刑事訴訟法》均有明文規定。

〈尚德緩刑書〉文中，路溫舒感嘆天下的禍害，沒有什麼比得上不肖法官違法判案更厲害的了（天下之患，莫深於獄），實際上也是在替無助的百姓及無辜的被告發出不平之鳴。檢察官為死刑定讞的謝案聲請再審，是檢察官平冤懲惡的具體彰顯，而謝案的逆轉改判無罪，合議庭法官引用《洗冤集錄》「施刑失當，心則難安」借古喻今，用意可謂至深。本案創下臺灣司法史上檢察官為死刑確定聲請再審的第一例，也為冤案的平反模式寫下歷史。

原文刊載於二〇二〇年五月十八日《蘋果網路論壇》

青梅煮酒，試問後蔡英文時代誰是天下英雄？

受滯留梅雨鋒面與西南氣流夾擊，全臺連日豪雨，南臺灣更是受暴雨狂襲，整個南臺灣泡在雨中，中臺灣及南臺灣均傳出淹水、路樹倒塌、道路坍方、土石崩落等災情。不過大雨也有效紓解南部乾旱，曾文水庫及南化水庫合計增加一億立方公尺進水，南臺灣的水情燈號恢復正常。先前傳出蓄水率剩不到三成的石門水庫，近日也因梅雨鋒面通過，蓄水量大增一千七百萬噸，水位回升四公尺，有效的及時雨，為水庫及時地解渴。

春夏之交，冷氣團（冷鋒）與熱氣團（熱鋒）相遇，會形成交界面（鋒面），暖空氣因密度小，較冷空氣輕，會沿著鋒面上升，遇冷，水汽凝結成雨，就是所謂鋒面雨。在臺灣，每年五月中旬到六月中旬，由於冷暖空氣勢力相當，很容易形成滯留鋒面，以致因鋒面雨而造成暴雨的自然氣候現象，這也是臺灣防汛的緊張階段，也是臺灣顯著的氣象災害之一。隨後，六月初至下旬，滯留鋒面會往北移動到大陸長江流域和江淮地區，七月上旬再北移到日本及韓國。由於鋒面雨發生的時段，正好是江南梅子的成熟期，因此這時期又稱梅雨季節。

梅雨開始的日子稱為「入梅」，結束那天為「出梅」，具體時間，各地有異，高緯度地區，通常時間較晚。梅雨季過後，天氣就開始由太平洋高壓系統主導，正式進入炎熱的夏季。梅雨時段，由於降水量豐沛，連綿不斷，使得空氣溼度加大，水汽吸附在衣物、家具、食品上，時間一長，難免滋生黴菌，物品容易發霉，因此，梅雨又稱「霉雨」。

梅可分為觀賞梅和食用梅，分辨最簡單的方法就是看「花色」，一般而言，粉紅色的花是觀賞梅，白色梅花則會結成可食用的梅果，梅花的花期在晚冬至初春，果實則於初夏成熟，一朵梅花結一顆梅果。梅子在初夏採收，將成熟的綠色果實，洗淨食用，是為「青梅」；以鹽醃製，曬乾用，稱為「白梅」；將青梅以小火炕焙乾燥均勻，再悶至黑色、起皺，稱為「烏梅」。我們一般吃到的蜜餞，也是食用梅的果實，之所以有不同口味，是調味料和作法不同所產生的變化。

你知道「望梅止渴」的故事嗎？《世說新語・假譎》記載：曹操有一次帶領軍隊行軍上路，攻打張繡，途中迷失了方向，士兵們都饑渴難耐，曹操就對部隊宣稱前面有一片大梅林，結了許多梅子，味道又酸又甜，可以生津解渴（前有大梅林，饒子，甘酸，可以解渴），士兵們聽了，都滿口生津，忘了口渴，他們就這樣支持下去，終於來到下一個有水源的地方。看來，曹操真是懂得心理和生理的微妙關係，他曉得人一想到梅子的酸味，就會情不自禁地流出口水來，暫時解渴，不過那也僅是暫時的權宜之計，自我安慰而已，久了也是自欺欺人。

李白大詩人有一首詩〈長干行〉，描寫一位年輕的商婦，自述她自童年到成婚的愛情生活，及傾吐別後她對遠方丈夫的深情思念。詩的前六句是「妾發初覆額，花折門前劇。郎騎竹馬來，繞床弄青梅。同居長干里，兩小無嫌猜。」意思是說：小的時候，我的頭髮剛剛蓋過額頭，我常常在家門前折花嬉戲。你把木製馬頭的竹竿當馬騎到我家來，你手持著青梅，騎著竹馬圍繞著井欄追逐我。長期以來，我倆都生長在長干里，從小一塊兒長大，兩個小孩天真無邪，從小就沒有猜疑，感情好得沒話說。詩中一對情竇未開、純真爛漫的小兒女，無憂無慮、天真無邪地玩耍、甜蜜歡樂的畫面鮮明生動。〈長干行〉的知名度雖不突出，但衍生的成語「青梅竹馬」、「兩小無猜」卻是家喻戶曉。

最早記載梅的古籍是《詩經》。〈召南．摽有梅〉：「摽有梅，其實七兮。

求我庶士，迨其吉兮！摽有梅，其實三兮。求我庶士，迨其吉兮！摽有梅，頃筐塈之。求我庶士，迨其謂之！」意思是說梅子剛剛成熟落下，還有七成掛在樹上，有心追求我的男士們，趁著吉日來提親吧！梅子落地紛紛，只剩三成掛在樹上，想要追求我的男士們，就趁著今天來提親吧！梅子全部成熟落地，要用淺筐來拾取，有意向我求婚的男士們，快開口，莫遲疑，我會馬上答應跟你成親啊！

這首詩，開始是姑娘懷著待嫁的心情，希望完成終身大事，但等到最後，青春流逝，年華老去，就像散落滿地的梅子乏人問津，姑娘感到時光無情，感傷年長未嫁的焦慮心情，這是一首珍惜青春、渴望愛情的詩歌。摽梅是指梅子成熟落地，摽梅之年即指女孩們到了適婚的年齡（女大當婚），筆者祝福已是摽梅之年的女孩們，早日選個如意郎君，把自己嫁出去，過著幸福快樂的婚姻生活。

「青梅煮酒論英雄」的故事，對於熱愛三國的朋友並不陌生，羅貫中的《三國演義》記載漢末，曹操邀約劉備至相府外的小亭，一邊賞梅、品青梅，一邊設樽煮酒，曹、劉二人在此共論天下英雄與天下事，曹操問劉備：「玄德久歷四方，必知方今天下誰是英雄？」劉備道出：「張繡、孫策、張魯、劉表等人。」曹操不認為他們是英雄，轉身對劉備說：「今天下英雄，唯使君與操耳。」劉備大驚。

根據《三國演義》第二十一回記載：「夫英雄者，胸懷大志，腹有良謀，有包藏宇宙之機，吞吐天地之志者也」。五月正是臺灣青梅的產期，五月二十日蔡英文就職連任總統，讓我們也來個青梅煮酒，拭目以待：看誰是後蔡英文時代的天下英雄？

原文刊載於二〇二〇年五月二十五日《蘋果網路論壇》

【罷韓成功】民意不可欺：韓國瑜給政治人物的警惕

臺灣第一次直轄市市長罷免案，六月六日投票，有效同意票為九十三萬九千零九十票，不同意罷免票數為二萬五千零五十一票，無效票五千一百一十八票。罷免案跨過五十七萬四千九百九十六票的門檻，罷免案通過，韓國瑜成為我國選舉史上首位被罷免的縣市長，在政治史上留下難堪的一頁。二〇一八年高雄市長選舉，韓國瑜曾拿下八十九萬二千五百四十五票，本次罷免票數遠超過韓國瑜在市長選舉時的得票數。蔡英文總統透過臉書表示，這個結果是給所有政治人物最大的警惕，人們可以賦予我們權力，當然也能夠收回。

柳宗元寫過一篇〈黔之驢〉的寓言故事，大意是說貴州沒有驢子，有一位愛多事的人，用船運來一頭驢子，運到以後，也沒什麼用處，就把牠放在山腳下（黔無驢，有好事者船載以入。至則無可用，放之山下）。老虎發現這樣一個龐然大物，以為是神物，便躲在樹林裡偷偷窺伺，然後慢慢地走出來靠近牠，小心謹慎，但仍然不知道牠的底細（虎見之，龐然大物也，以為神，蔽林間窺之，稍出近之，慭慭然莫相知）。

有一天，驢子一叫，老虎大驚，跑得遠遠的，以為驢子要吃掉自己，非常害怕（他日，驢一鳴，虎大駭，遠遁，以為且噬己也，甚恐）。然後，牠來回觀察驢子，覺得牠好像沒有特別的本領（然往來視之，覺無異能者）。老虎漸漸地習慣牠的叫聲，便再靠近驢子前後走動，結果驢子也不敢攻擊牠（益習其聲，又近出前後，終不敢搏）。老虎又慢慢地接近去戲弄牠，在牠面前搖動、倚靠、衝撞、冒犯牠，驢子終於非常火大，就踢了老虎一腳（稍近益狎，蕩猗衝冒，驢不勝怒，蹄之）。老虎因此高興起來，心想：「牠的本事不過如此罷了（技止此耳）！」於是跳躍而起，一聲大吼，就把驢子的喉管給咬斷了，吃盡牠的肉，才離開（因跳踉大𠻳，斷其喉，盡其肉，乃去）。

柳宗元最後感嘆地說，驢子體形高大，好像很有品德；聲音宏亮，好像很有本領（形之龐也類有德，聲之宏也類有能）。如果驢子當初不表露那點本領，老虎即使再兇猛，由於摸不著驢子底細，對牠仍會存有疑懼，終究不敢攻擊牠（向不出其技，虎雖猛，疑畏卒不敢取），現在成了這樣的局面，真是可悲啊（今若是焉，悲夫）！這個「黔驢技窮」的成語，故事即出於此，後來比喻人所有的技能已經用完，再也無計可施了。

韓國瑜在選高雄市長前，是中國國民黨高雄市黨部主委，高雄市民沒有幾個人認識他，瞭解他的底細，但他在二〇一八年底，一人救全黨，單槍匹馬把民進黨執政二十年的高雄市長寶座贏回來，著實在臺灣的選舉政治史上寫下神奇的一頁。他曾承諾過「高雄發大財」、「北漂青年回高雄」等競選支票，無奈一年半來夢想成空，這也是許多罷免他的年輕選民不滿的心聲，許多北漂族，也因此特地返鄉投下罷免票。

比較嚴重的事是韓國瑜選上市長不到幾個月，就背棄高雄市民，不信守對高雄市民的承諾，落跑去參選總統，無論他如何說明，都很難讓高雄廣大的人民釋懷，至今很多高雄人仍氣憤難平，這也是這次罷免票數超過他當年的當選票數的最大因素，這也是他本人始料未及的吧！

失去了政治人物應有的誠信，再加上在市政、市議會的「特殊」表現，也充分顯示他的暴躁易怒，甚至輕舉妄動的性格特徵，就像黔驢一樣落得今日的下場，真是「成也韓國瑜，敗也韓國瑜」。〈黔之驢〉中的老虎，其實就是老百姓

（民意），韓國瑜的故事也讓政治人物要知所警惕，凡事要有自知之明，如果本無多大能耐，需靠虛張聲勢來維持生存，當他在老百姓面前，暴露自己無能的時候，也就注定要落得被罷免的下場。

韓國瑜來高雄走這一趟，我們就看著他起起落落，「眼看他起高樓，眼看他宴賓客，眼看他樓塌了」，這一次的結果，希望能帶給所有政治人物一個「民意不可欺」的警惕！

原文刊載於二〇二〇年六月八日《蘋果網路論壇》

學子畢業展翅高飛之前：提醒與祝福

鳳凰花開，驪歌輕唱，又到了畢業時節，各大專校院紛紛為畢業生舉行畢業典禮，今年因受新冠肺炎疫情影響，有的學校完全取消校級畢業典禮，改由各院系自行辦理，有的學校有得天獨厚的地理條件，改辦浪漫的沙灘畢業典禮，有的學校則舉辦比往年規模更小的畢業典禮，取消校園巡禮，不開放家長觀禮，畢業生採實名制，多戴口罩出席，貴賓致詞罕見採用遠距方式呈現，整個畢典充滿濃濃的疫情味。今年各校的畢業典禮真的與往年很不同，各校採多元創新型式辦理，期望為畢業生留下珍貴的回憶，可說是史上最特別的畢業季。

《莊子・逍遙遊》記載，傳說我國古代有一種大鵬鳥，是一種名叫「鯤」的大魚變成的（北冥有魚，其名為鯤。鯤之大不知其幾千里也。化而為鳥，其名為鵬）。莊子又說這隻大鵬鳥的背，與魚的本身未變成鵬鳥之前一樣，也不曉得有幾千里大，那兩個翅膀一展開，像天上的雲一樣，把天的二邊都給蓋住了，牠一起飛，就飛到南極去了（鵬之背不知其幾千里也；怒而飛，其翼若垂天之雲。是鳥也，海運則將徙於南冥。南冥者，天池也）。

每年六月，大鵬鳥都要飛往南極的天池去涼快，放暑假。牠把二個翅膀一拍打，海水就被擊起三千里的浪花，牠乘著扶搖而上的旋風，一下子就可飛到九千里的高空（鵬之徙於南冥也，水擊三千里，摶扶搖而上者九千里。去以六月息者也）。正因大鵬展翅能飛萬里路，後來就演變成「鵬程萬里」這句成語，用來比喻一個人前程遠大，發展不可限量，從小到大的畢業紀念冊上，老師都是題上「鵬程萬里」來勉勵我們，畢業典禮的校長或貴賓致詞也多以「鵬程萬里」、「展翅高飛」為臨別贈言。

莊子解釋他的道理，他說：「風之積也不厚，則其負大翼也無力。故九萬里，則風斯在下矣。而後乃今培風；背負青天而莫之夭閼者，而後乃今將圖南。」意思是說大鵬鳥要飛的時候，非要有風不可，如果風力的積存不夠大，二個翅膀就沒有辦法展開，飛不起來，所以大鵬鳥能飛到九萬里高空以上，是因為牠下面有巨大風力，牠才能憑藉風力，背對著青天沒有阻礙，然後才能飛到南極去。

這是在勉勵年青人，要想成就一番事業，就要把自己的知識、能力、見地及智慧，深蓄厚養，那就是你的風，也就是你的本錢，風力越大，本錢就越大，越能飛上九萬里的高空。高飛也需要準備的功夫，也要盡一己之力，才能是長期努力的結果，積累越多，成就越大。如果沒有風，就沒有起飛的本錢，當然就飛不起來，成就不了大事業，不要怨天尤人，也不要嘆生不逢時。

前一段我們提到深蓄厚養，其實都是為了「待時而動」，每個人的生命，或多或少都有碰到命運轉折的機會，有的人把握機會，從此一飛沖天，有的人沒有抓住機會，從此便懷憂喪志，怨懷才不遇。其實，萬事都有時機，在最好的時機，做最適合的事情，事半功倍，時機不到，只能再忍耐，等待下一次機會，忍是為了等待最好的時機（雖有智慧，不如乘勢；雖有鎡基，不如待時）。

蘇軾在他的〈留侯論〉開宗明義即說：「古之所謂豪傑之士者，必有過人之節。人情有所不能忍者，匹夫見辱，拔劍而起，挺身而鬥，此不足為勇也。天下有大勇者，卒然臨之而不驚，無故加之而不怒，此其所挾持者甚大，而其志甚遠也。」這段話在區分大勇與小勇的不同，但其實就是「小不忍則亂大謀」的最佳解釋。

蘇軾提到的留侯就是張良，是漢初三傑（張良、韓信、蕭何）之一，有一天，張良從容經過下邳橋，有一位老人家，朝著張良走過來，走近身邊時，老翁故意將自己的鞋子掉到橋下去，然後要張良到橋下去幫他把鞋子撿上來，張良當場覺得十分驚愕，想揍那老翁，但是張良沒有出手，他強忍下來，然後到橋下把鞋子撿上來（良嘗閒從容步遊下邳圯上，有一老父，衣褐，至良所，直墮其履圯下，顧謂良曰：孺子，下取履！良愕然，欲毆之。為其老，彊忍，下取履）。老人家接著說，「幫我把鞋子穿上去（履我）！」張良再忍一次，屈膝幫他把鞋子穿上（良業為取履，因長跪履之）。

穿好鞋子，老人家笑笑就走了，張良望著老翁離去。老人家走了不遠，又走回來，說：這年輕人值得教誨啊！五天後，天亮時跟我在此見面（父以足受，笑而去。良殊大驚，隨目之。父去里所，復還，曰：孺子可教矣。後五日平明，與我會此）。《史記．留侯世家》司馬遷記載了這段「孺子可教矣！」的故事。在蘇軾看來，張良就是因為能忍，承受橋上老人的刁難，才得到老人家傾囊相授兵法《黃石公兵法》的機會，這個「忍」字，使張良脫胎換骨，由恃勇而懂得用智，實在是張良一生成功的關鍵。

蘇軾認為漢高祖劉邦之所以勝利，而項羽之所以失敗的原因，只在於能忍和不能忍而已，項羽因為不能忍，所以百戰百勝，而輕易耗損鋒芒；高祖能忍，保住他全部的鋒芒，以等待項羽的衰敗，劉邦的忍功，應該是張良在旁輔佐起了作用吧（項籍唯不能忍，是以百戰百勝而輕用其鋒；高祖忍之，養其全鋒而待其弊，此子房教之也）！

學校學習將告一段落，同學就要走入社會，實踐所學，變成社會新鮮人。學習的習，上半部就是「羽」，根據《說文解字》就是鳥兒學飛的意思，一隻鳥從不會飛到學會飛，總會摔個幾次，甚至摔得遍體鱗傷，最後才會展翅高飛。人生就是如此，不論你有多優秀多能幹，都難免會遇到坎坷，受到挫折，甚至失敗，重點是在經歷挫敗後，是否能以「含忍」的方式珍愛自己，重新振作，起身前進，然後等待機會，並且把握來臨的機會，機會是永遠留給準備好的人！祝福今年的畢業生鵬程萬里、展翅高飛。

原文刊載於二〇二〇年六月十五日《蘋果網路論壇》

夏至蟬鳴，監委提名輿論為何喧騰？

臺灣已出梅雨季節，時序進入夏至，昨天是二十四節氣中的夏至，象徵著夏季的開始，也預示炎炎夏日的到來，這時期由於地表吸收的太陽輻射熱仍然比地面向空中放出的熱還多，短時間內氣溫還會繼續升高，大約一個月以後，氣溫才會升到最高溫（小暑、大暑）。

還好，這段時間，因受地面受熱程度及空氣對流的交互影響，雷陣雨開始頻繁起來，為作物帶來甘霖，這種雷陣雨持續的時間不長，臺灣通常稱為「西北雨」，有時甚至會出現下雨與日照並存的情況，有如唐朝詩人劉禹錫所寫的情詩〈竹枝詞〉：「楊柳青青江水平，聞郎江上踏歌聲。東邊日出西邊雨，道是無晴卻有晴。」的情境。意思是說江邊楊柳翠綠，江面平靜無波，有位姑娘來到江邊，聽到了響亮的歌聲從江面上傳來。這時候東邊出了太陽（有晴），西邊卻下起雨來（無晴），天氣時晴時雨，情郎是「有情」還是「無情」呢？

夏至這一天，太陽直射地面的位置到達一年最北端，太陽正好直射北回歸線，所以，這一天北半球各地的白晝（陽）最長，黑夜（陰）最短，過了這一天，白晝漸短黑夜漸長，一直到冬至這天，變成晝最短而夜最長。在中國人的觀念裡，夏至是陽氣的至極，也是開始陽氣收藏的節氣（陰長陽消），因此過了夏至之後，陰氣就一天比一天加多，過了冬至以後，輪到陽氣漸長而陰氣漸消「夏至—陰生，冬至—陽生」。所以夏至以後，感陰而開的花才會開始開花，如梔子花、射干；而冬至以後，感陽而開的花才會開始開花，如梅花、桃花、杏花。

對於北回歸線或以北的地區來說，夏至這一天也是一年當中，正午太陽高度最高的一天，在北回歸線上的地區正午時分的太陽會在頭頂上方，人們看自己的影子，會見到一年當中最短的影子（日影短至。至者，極也）；平常豎竿於陽光下，可立見其影「立竿見影」，讀者們今天可以驗證一下夏至中午是否會出現「立竿無影」的現象。

夏至的三個物候是：一候鹿角解；二候蟬始鳴；三候半夏生。鹿與麋二者同科，但一屬陰一屬陽。鹿的角往前生長，有陽剛之感，屬陽；麋鹿的角往後生長，有退避的特徵，屬陰。夏至日陰氣始生而陽氣始衰，所以陽性的鹿角開始脫落；麋鹿角屬陰，要到冬至日陽氣生而陰氣始衰，才會有麋角脫落的現象。蟬又有「知了」的稱呼，雄性的知了在夏至後感受到陰氣滋長，開始在枝頭鼓腹鳴叫，發出鳴亮的鳴叫聲。半夏是一種喜陰的中草藥，生活在沼澤或水田中，生長時期剛好在仲夏時節，夏天剛好過了一半，所以才叫「半夏」。半夏是一種藥用植物，有化痰、降逆止嘔的功效。

夏天是以蟬聲揭開序幕，每年夏天，第一聲蟬聲總令人驚覺夏天到了，它們的「歌聲」在高樹枝椏間此起彼落，熱鬧非凡，時常引起我們駐足仰首，循聲覓跡。王安石「去年今日青松路，憶似聞蟬第一聲」，白居易「微月初三夜，新蟬第一聲」，都是初聞蟬鳴而詠的詩句，不知各位讀者們是否有類似美好的經驗？

雄蟬會鳴叫，牠的鳴叫聲特別高亮，雌蟬不會鳴叫。雄蟬是靠牠的鳴叫聲來吸引雌蟬交配，雌蟬聞聲而至，雄蟬見雌蟬來，尖銳高亮的鳴叫聲漸漸變為低微溫和的情調，雄蟬交配後，不久即死亡，雌蟬產完卵之後，也即死去。蟬在夏秋間鳴叫，交配繁殖後不久即死去，古人不察，以為蟬因天寒而不能發聲，所以用「噤若寒蟬」來比喻不敢作聲。過去在戒嚴時期，人民常害怕因為言論得罪當道，遭到國家的法律制裁，以致不敢發表言論，這種類似「寒蟬效應」的發生，將導致公共事務乏人關心，這被視為是過度壓制言論自由導致的惡性循環。

西漢文學家劉向的《說苑》一書，記載了一則「螳螂捕蟬，黃雀在後」的故事。典故是這樣說的：春秋末期，吳國原本想攻打楚國，吳王不准任何人對此事提出諫議（敢有諫者，死）！有個名叫少孺子的臣子想勸吳王不要輕舉妄動，卻又不敢。於是在早晨拿著彈弓到後花園裡閒晃，露水都沾溼了他的衣服，如此連續三天（懷丸操彈，游於後園，露沾其衣，如是者三旦）。吳王問他說：「你為什麼要這樣呢？」他回答說：「有隻蟬在樹上唱歌，不知螳螂在後面要抓牠（蟬高居悲鳴飲露，不知螳螂在其後也）！」螳螂為了捕蟬，也不知道身後有一隻黃雀要吃牠（螳螂委身曲附，欲取蟬而不顧知黃雀在其傍也）！黃雀則是伸著脖子要啄螳螂，也不知道我在樹下準備用彈弓把牠射下（黃雀延頸欲啄螳螂而不知彈丸在其下也）！牠們三者都只顧眼前的利益，無暇顧及身後的危險（此三者皆務欲得其前利，而不顧其後之有患也）。吳王聽了以後，便打消去攻打楚國的念頭。

「螳螂捕蟬」是個大家都耳熟能詳的成語，主要在提醒人們不要只顧攫取眼前的利益，而忽略了背後看不見的危險。這個故事也是很有名的勸諫案例，從古至今，下屬向長官進言的方法，離不開溝通，如何讓盛怒中的長官聽進逆耳的忠言，可以說是進諫者必須掌握的一門藝術。故事中的少孺子是以委婉的諷喻達到進諫的目的，這就是所謂的「諷諫」，這需要很高的智慧。

蔡英文總統原擬提名國民黨籍的臺東縣前縣長黃健庭出任下一任的監察院副院長，結果不僅引發國民黨對黃健庭祭出停權處分，更讓許多綠營立委表態反對，引爆茶壺內風暴，輿論喧騰，如蜩如螗，如沸如羹，紛亂不停，提名記者會也因而臨時取消。黃健庭已正式宣布婉謝總統的提名，並表明自己忍受了許多不實指控，對自己的清白絕對捍衛到底。總統府也回應表示，總統尊重黃前縣長的決定。

這件事其實也看出人世間的事物相互競逐，導致許多鬥爭利害，欲望貪念既混淆人之耳目視聽，也常使人忘卻自我。《莊子．山木》提醒世人，不要只顧貪得眼前利益而忘了後患（見得而忘其形），更不要短視近利，不顧後患而忘卻生命的重要性（見利而忘其真）。這次監察院副院長的提名爭議事件，也讓我們體會莊子提醒世人的「利益」與「禍患」相連相倚的道理（物固相累，二類相召也）！蔡英文總統與黃健庭先生應該有深刻的體會吧！

原文刊載於二〇二〇年六月二十二日《蘋果網路論壇》

記大過仍升少將——名器最好勿輕授

國防部在六月二十三日舉行陸海空軍將官晉任暨授階典禮，由蔡英文總統親自主持典禮，之前，在私菸案遭記大過一次的總統府侍衛室永和警衛室主任陳敏華上校也在晉升少將名單中，引起爭議與討論。

回顧私菸案爆發當時，時任侍衛長的張捷中將記一大過兩小過，副侍衛長柳惠千少將記一大過一小過，而兩位警衛室主任林少將及陳少將各一大過，並調陸軍司令部委員。此外，內衛、警情及侍從等三位上校組長（包含陳敏華）各記一大過，總統府發言人當時還強調，本案涉及違法，顯示特勤人員紀律管理的嚴重缺乏，相關幹部難辭其咎，應予以嚴懲。但總統府所說的嚴懲，結果出乎意料的是，陳敏華在一年內先升任永和警衛室主任，佔少將缺，六月二十三日晉升少將，媒體追問其晉升資格遭受質疑，陳敏華在晉升現場引起媒體追逐，但他都不願受訪，會場秩序大亂，算是難堪。

有立委表示，陳敏華曾因私菸案被記大過，自己也沒有購買，後來他因為執行「一〇九年維安七號」任務有功，被記了一支大功，功過相抵，按照規定，確實符合晉升資格。但也有立委表示，晉升將官是總統職權，但這樣的升遷顯然有違過去軍中長期立下的人事晉升慣例，對其他在崗位上兢兢業業的人不公平，也讓其他也被處分的人情何以堪，讓社會有「有關係就沒關係」的不良觀感，對國軍整體形象也有影響。

劉伯溫寫過一篇〈慎爵〉的寓言性文章。他對執政者說：「被天下人認為珍貴的東西，是因為它們非常稀少而且不容易得到的緣故（物之所貴於天下者，以其少而難得也）。假如明珠像沙子一樣多，黃金像泥土一樣多，那麼每一個人都可以輕易得到它，它們怎麼可能成為珍貴的東西呢（如使明珠如沙，黃金如土，則人皆得而有之，其何以能貴乎）？所以官服有不同圖文作為等級標誌，爵位有等級的差別，使人們不可以有妄想、非分之想，這樣才可以使王命受到尊重而榮辱的觀念才可以行得通，這樣天下珍稀之物才會受到鼓舞（故服有章，爵有等，使人不可以妄覬，然後王命尊而榮辱行，此鼓舞天下之奇貨也）。」

劉基舉例說明了。他說從前戰國時期趙國國君趙惠文王得到一塊于闐國的玉石，便把它做成盛酒的「爵」（爵是古代飲酒的器具）（趙王得于闐之玉以為爵），並說：「把這爵用來獎賞有功者飲酒（以飲有功者）。」秦昭王進兵圍邯鄲，魏信陵君救趙，解除趙國邯鄲之圍後，趙王舉著爵向魏公子跪拜敬酒，祝魏公子健康長壽，魏公子拜謝趙王的獎賞。因此，鄗南之戰，趙惠文王並沒有用什麼作為獎勵，只用那只「爵」向將士們敬酒，而將士們用此爵飲酒後都深感榮耀（故鄗南之役，王無以為賞，乃以其爵飲將士，將士飲之皆喜）。於是，在趙國人眼裡，能使用這只爵飲酒，比十乘的俸祿還要貴重。但是，到後來，趙王遷卻改用這只爵行賞那些受寵幸的小人飲酒。就在這時，秦國攻打趙國，趙國將軍李牧率軍擊退了秦軍，趙王遷又用這只爵來招待有功將士們飲酒，可是將士們都不肯飲用，而且十分生氣（及其後，王遷以爵爵嬖人之舐痔者，於是秦伐趙，李牧擊卻之，王取爵以飲將士，將士皆不飲而怒）。所以，同樣一只爵，一時使用不當，就會把原來是好事變成壞事，這是因為不知道珍惜寶物的貴重之處啊（故同是爵也，施之一不當，則反好以為惡，不知寶其所貴而已矣）！

將軍的榮銜，可以算是職業軍人畢生追求的最高榮耀，軍服上能掛上星星，可說是光宗耀祖，今年蔡英文總統核定晉升少將的人數只有十五人，你就知道

「上校」晉升「少將」有多麼困難？沈雁唱過一首〈一串心〉的流行歌曲，歌詞前二句是「天上星星數不清，個個都是我的夢」，可以說唱出了每位上校的心聲與摘星夢，畢竟梅花再多是地上的，星星一顆是天上的。物以稀為貴，為什麼同樣一只爵，趙人以前視為珍寶，而後來卻視為恥辱，因為那只爵代表國家的尊嚴與榮譽，而尊嚴與榮譽一旦被玷汙，便失去了往日的光環，變得一文不值。

晉升少將也是如此，如果晉升不當，在上同其利者官官相護，在下受其害者敢怒不敢言，這不滿的情緒，若在軍中發酵，也是會影響蔡英文總統的聲望的。《左傳．孔子惜繁纓》「唯器與名，不可以假人」，意思是說名器是不可以輕授的，當政者可不慎乎！

原文刊載於二〇二〇年六月二十九日《蘋果網路論壇》

高雄市長補選，帥哥輔選會加分嗎？

韓國瑜遭罷免下臺，高雄市長補選即將於八月十五日舉行投票，這也是中華民國直轄市長一九九四年改為民選以來，首次舉行的補選選舉。登記參選補選的候選人共三人，分別是民進黨推薦的陳其邁，國民黨推薦的李眉蓁及民眾黨推薦的吳益政。各候選人競選團隊都已成軍並陸續公布人事。民進黨推出吳怡農助選，國民黨也會有立委蔣萬安力挺李眉蓁，吳怡農和蔣萬安可能加演一場立委延長賽。主角之一的陳其邁不忘自我推薦「我也不錯啦！」民眾黨參選人吳益政則強調他會找的幫手是要了解公共政策，他不會找帥哥或美女，並自我消遣說「想當年，他也是很帥的」。

談到帥哥美男子，自然就得提到中國古代第一美男子潘安，他已成帥哥的代名詞，一個男人如果長得很帥，人們總是說他「貌若潘安」。根據《世說新語．容止》的記載，潘安的本名是潘岳，字安仁，他姿容俊美，神態優雅（潘岳妙有姿容，好神情）。他年輕時，夾著彈弓走在洛陽街上，遇到他的婦女，沒有不互相拉著手圍繞著他（少時挾彈出洛陽道，婦人遇者，莫不連手共縈之）。潘安仁之所以被後人稱「潘安」，是源於杜甫的〈花底〉一詩中「恐是潘安縣，堪留衛玠車」，原詩把「潘安仁」省寫為「潘安」，後人從此就以「潘安」稱呼了。《晉書・潘岳》傳中也說潘安相貌氣質出眾，每次駕車出門，婦女們都驚為天人，為之著迷，紛紛向他丟擲水果，表示對他的愛慕之意，每次都讓他滿載而歸（安仁至美，每行，老嫗以果擲之盈車），這就是「擲果盈車」的典故。看來，潘安家裡不用花錢買水果，只要想吃水果，駕車出去兜個圈子回來就有得吃。

潘安除了超高顏值外，也是西晉一流的文學家，他從小就以才智聰貌著稱，鄉里都稱他為神童，他有卓越的文學才華，在魏晉時期，賦寫得好是文人最高的成就，潘安的〈秋興賦〉、〈閒居賦〉等作品是那個時代最具代表性的文學作品，他在〈秋興賦〉的序中提到「余春秋三十有二，始見二毛，……」，潘岳是說他自已剛過而立之年，就開始出現了白髮，後來「潘鬢」一詞就代表鬢邊的頭髮開始發白。而「潘鬢成霜」為中年鬢髮初白的代稱。潘安既是那美男子，可惜他的妻子不幸早亡，他對結髮妻子一往情深，忠貞不渝，他也沒再娶，對她念念不忘，作了三首有名的情真意切的〈悼亡詩〉來懷念妻子，他是女性心目中完美的情人與夫君形象。潘安小名「檀郎」、「檀奴」，後世文學作品中「檀郎」、「檀奴」就成為稱心如意的夫君或心上人的代名詞，這一稱謂也寓意著女性對情人用情專一的熱切期盼。

在《晉書‧潘安》傳中還記載了二個醜才子的小故事。一個叫張載，他也是名重一時的文學家，他「甚醜，每行，小兒以瓦石擲之」，意思是說張載文采甚豐，相貌卻醜陋無比，他只要出門，鄉里的小孩就紛紛對他扔擲石頭，只好躲回家去。另一個人叫左思（字太沖），「左太沖絕醜，亦復效岳遊遨，於是群嫗共亂唾之，委頓而返。」意思是說左思狀貌絕醜，卻也要效法潘岳在洛陽大街上出遊，路上的婦女遇到他，都一起向他吐口水，表示唾棄與不屑，讓左思只好狼狽不堪地逃回家去。這些大媽們在心中可能暗自忖度「你長得這麼醜不是你的錯，可是你出來遊街，有礙市容觀瞻，可就是你的不對了」。這二個醜才子和潘岳的境遇，可真是個鮮明的對照啊！

左思雖然形貌醜陋，卻滿腹經綸，他花十年的時間，嘔心瀝血寫了一篇〈三都賦〉，將三國時魏都（鄴城）、蜀都（成都）、吳都（金陵）三個都城都寫入賦中。當時的文學家聽聞他要寫作〈三都賦〉都把他當作笑柄，潘安就說他不知天高地厚，不自量力。

另一位文學家陸機，當時正巧也打算寫一篇〈三都賦〉，聽說左思動筆了，很不以為然，在寫給弟弟陸雲的信中說：「不知天高地厚的傢伙，要寫什麼〈三都賦〉，將來即使寫好了，他寫成的稿紙，大概只配拿來蓋酒缸吧！」沒想到左思的作品大受歡迎，大家都紛紛到紙店去買紙，大家都爭相傳抄，以先睹為快，紙店的紙張供不應求，導致洛陽的紙價飛漲，這也就是「洛陽紙貴」的由來。陸機也派人去買紙，抄了〈三都賦〉，並仔細閱讀一番，陸機也認為如果自己再寫，也不可能超越左思，便擱筆不寫了。

心理學家在七〇年代做了一個實驗，他們替明尼蘇達大學的學生隨機分配舞伴，並在事前替學生進行性向人格測驗，舞會結束後問學生們是否願意再邀約同一位舞伴？結果發現：「顏值」是影響「回約率」最重要的因子，遠勝過智商、誠懇、獨立、敏感度等因素。綜合心理學的研究，其實這個世界也真殘酷，人類確實對顏值高的人比較好，長得好看似乎好像也是一張王牌。

其實「人不可貌相，海水不可斗量」，高顏值的臉是父母給的，我們無從選擇，如果你長得好看，那是你的好運，就恭喜你；如果你自認長得不怎麼樣，那我就用趙傳一炮而紅的成名曲〈我很醜，可是我很溫柔〉來鼓勵你們，這首歌，改變了許多人，他們對自己缺乏信心，卻因聽到這首歌，鼓勵了自己，相信「粗獷的外表，也能有柔軟的內在；一點卑微，一點懦弱，可是從不退縮；即便是小人物，內心也能是驕傲的巨人」。因此高雄市長補選，帥哥輔選一定可以加分嗎？

原文刊載於二〇二〇年七月七日《蘋果網路論壇》

【大暑喝清草茶降火】立委為監院人事同意權動肝火

上週開始，夏季全臺飆高溫，全臺各地天氣晴朗酷熱，臺北測站飆到三十八・九度，創下歷年七月最高溫紀錄，臺北市環保局已發布今年首次的熱浪通報，並啟動熱浪預警機制。全臺用電量最高達三千七百五十二・八萬瓩，也打破三千七百三十八・三萬瓩的歷史紀錄。氣象局也針對全臺各縣市持續發布高溫資訊，氣象局指出臺灣受到太平洋高壓籠罩及西南風氣流沉降影響，各地會有三十六度高溫出現的機率。

因熱傷害暈倒送醫就診人數也創新高，衛福部國民健康署也提醒民眾做好避免太陽直曬、充分補充水分、穿著涼爽透氣衣服、瞭解熱傷害徵兆及迅速就醫處置等五招自保，以免造成熱傷害。

明天是二十四節氣中的「大暑」，大暑就是比小暑還要熱的天氣，「大暑」與「小暑」都是反映夏季炎熱的節氣，小暑之後，氣溫逐漸升高，是炎熱開始的標誌，到了大暑，氣溫自然是一年中最高，因此大暑前後本來就是一年中天氣最炎熱的時候，所以會特別感到氣候炙熱難耐，因為此時太平洋高壓系統正是活躍籠罩，而且風速小，溼度大，艷陽高照，白天天氣酷熱，溫度高得令人難受，這就是大暑。俗語說「小暑大暑無君子」，意思是說小暑大暑這二個節氣十分酷熱，熱到讓人受不了，顧不得體面，就把衣服給脫光了。

大暑的物候有三：一候為「腐草為螢」，是指螢火蟲產卵於枯萎的草上，至大暑時，腐敗而亡的枯草提供了螢火蟲的卵孵化的條件，螢火蟲的幼蟲吸食腐草而成長；二候為「土潤溽暑」，是指大地變得潮溼，天氣變得更加悶熱，每個人身上變得溼溼黏黏的，古人稱這種溼暑為齷齪熱，把人們難受萬分的情景都傳神地表達出來了；三候為「大雨時行」，意指午後會常常出現雷陣雨，帶來清涼滂沱大雨（就是俗稱的西北雨），減弱炎夏的酷熱，這時夏季就將進入尾聲，準備迎接下一個節氣——立秋。

提起螢火蟲，就讓人想起「囊螢夜讀」的車胤。車胤是東晉人，家境貧窮，夜裡連點燈的油也買不起，車胤每到夏天就捕捉螢火蟲，把幾十隻的螢火蟲放在白絹做成的囊袋裡，藉著螢火亮光的照明，夜以繼日地讀書（家貧，不常得油。

夏月，則練囊盛數十螢火以照書，以夜繼日焉）。同時期的孫康，情況也是如此，由於沒錢買燈油，他冬天裡利用大雪映出的反光照明來讀書（映雪），後來「囊螢映雪」的成語就用來形容在艱困的環境中，勤學讀書，刻苦學習的精神。匡衡「鑿壁借光」是大家熟悉的故事，匡衡是西漢人，家貧，晚上讀書沒蠟燭，見隔壁鄰居有蠟燭，於是便在牆壁上鑿了一個小孔，讓微微透過洞口的燭光映在書上，借鄰舍燭光讀書，就這樣，一直讀到深夜。

還有一個借佛寺裡長明燈的燈光讀書的故事，讀者比較不熟，在此順便一提。明朝開國文臣之首宋濂寫過一篇〈王冕讀書〉的文章，大意是說王冕七、八歲時，父親要他到田邊的高地上放牛，他卻偷偷跑進學堂去聽學生們誦讀文章，聽完就默默地記住了（父命牧牛隴上，竊入學舍，聽諸生誦書，聽已，輒默記）。到了黃昏要回家時，卻忘記牛在那裡，父親大怒，痛打了他一頓，可是事情過後，他依然故我。王冕的母親就對父親說：「孩子既然讀書這麼痴迷，為什麼不讓他做自己想做的事呢（兒痴如此，曷不聽其所為）？」於是，王冕就離家投靠到寺廟居住。他在夜裡偷偷地起來，坐在佛像的膝蓋上，手拿著書，靠著長明燈的燈光讀書，一直讀到天亮（夜潛出，坐佛膝上，執策映長明燈讀之，琅琅達旦）。古代挑燈夜讀對貧窮人家的小孩來說是一件奢侈的事情，我們現在雖已用不著「囊螢映雪」、「鑿壁借光」，但是古人好學勤奮、刻苦學習的精神，永遠值得我們學習。

提起螢火蟲也會讓人想起在洛陽景華宮放螢火蟲的隋煬帝來。《隋書・煬帝紀》有這麼一段故事：「大業十二年五月壬午，上於景華宮徵求螢火，得數斛。夜出遊山，放之，光遍巖谷。」這段記載指出隋煬帝楊廣喜歡遊樂，屢有荒唐之舉，他曾在某個夏夜裡，在景華宮把自民間徵集來的數斛螢火蟲，夜間出遊，一夕放出，由於數量之大，結果螢光閃閃，照遍巖谷，照耀夜空，在夜間蔚為奇觀。

炎熱的大暑天裡，該如何避暑呢？白居易有一首〈銷夏〉的詩說得好：「何以銷煩暑，端居一院中。眼前無長物，窗下有清風。熱散由心靜，涼生為室空。此時身自得，難更與人同。」意思是說：如何才能消除厭煩的暑熱呢？只有在院子裡靜靜地坐著。靜下心來，不想別的事，自然就會感覺到窗子有清風吹進來。心靜了，暑氣就自然消失，保持室內通風，自然涼爽。此時此刻，自得其樂，這種心靜自然涼的快樂也是不足為外人道也。這首詩讀來還真給苦夏的人們送來一絲涼意。

上週立法院進行監察院人事同意權投票，因國民黨立委不滿監察院人事案，開票前拿出預藏水球，往主席臺及票匭處猛丟，企圖阻止開票，民進黨立委則以保麗龍板、穿上雨衣阻擋，藍綠立委互相拉扯推擠，爆發肢體衝突，但最後仍完成開票作業。

其實，這種高溫的日子，最容易動肝火，火氣高漲，心事稍不順心，即會急躁焦慮，手足動作、行為舉止躁動不寧，天氣雖是間接因素，但立委諸公在大暑天裡大動肝火，對健康著實無益。建議大家多喝清草茶降肝火，並學習白居易在大暑天裡「清涼靜心」的養生之道。

原文刊載於二〇二〇年七月二十一日《蘋果網路論壇》

立委爆史上最大集體收賄案，國會腐化是誰的責任？

臺北地檢署偵辦立法委員集體收賄案，臺北地方法院裁准羈押禁見包括三名現任立委蘇震清、廖國棟、陳超明在內的七名被告，臺北地檢署不服現任立委趙正宇及前立委徐永明各獲一百萬、八十萬元交保，提出抗告，高等法院日昨裁定，將趙交保案撤銷，發回臺北地方法院更裁，臺北地方法院重新裁定，改判羈押禁見；另高院也駁回檢方對徐永明的抗告，徐永明維持免押。這次立委的集體涉貪，創下國會全面改選後，現任立委遭羈押的首例，被羈押的現任立委人數、聲押被告在法院候審室過夜三天，都是司法史上的新紀錄。

錢財是身外之物，生不帶來，死不帶去，隨著肉體消失，財物也就失去意義。莎士比亞說「貪財是萬惡之源，名譽之墓場。」但是人們往往看不清這一點，而奔走競逐於名利之間，以致「人為財死」的悲劇不斷地發生與重演。

麝是一種哺乳動物，棲息是山林，大多在早晨或黃昏活動，聽覺及嗅覺特別靈敏，雄麝的臍為麝香腺之所在，香腺囊中的分泌物乾燥後形成的香料即為麝香，是一種名貴的中藥材與香料。

中國東南一帶，最珍稀的東西是荊山（湖北省南漳西部）出產的麝香，楚地有個捕麝的人，麝被追得危急的時候，會急中生智，把自己肚臍中的麝香挑出來，丟棄在草叢中，捕麝的人就會忙著去尋找麝香，那雄麝因此就得以脫逃（荊人有逐麝者，麝急，則抉其臍投諸莽，逐者驅焉，麝因得以逸）。楚國的令尹子文聽說這故事後說：「這種野獸啊，連人都有不如牠的地方。世上總有一些人，因為貪圖錢財而丟了性命並且禍及其家人，為什麼這些人的智慧還不如麝呢（是獸也，而人有弗如之者，以賄亡其身以及其家，何其智之不如麝耶）！」

這則寓言故事出自劉伯溫所寫的〈賄亡〉一文，這則故事其實也告訴我們遇事要當機立斷，該下決心時，寧可丟棄珍貴的「麝臍」也不能喪失自己的身軀，不能因小失大。「麝抉其臍」之典故即源於此。麝在緊急狀況下，尚知捨棄麝香以逃逸，那些貪財者卻往往無法抵抗物欲的誘惑，受嗜欲的驅使，貪圖非分之財，終致「以賄亡其身以及其家」的悲劇發生，真是智不如麝啊！

這些被收押禁見的立委，不辨是非，只顧貪財，喪失正常的判斷，忘了立委的正事，涉嫌利用職務收取賄款，如今東窗事發，恐難逃法網制裁，真是利令智昏，自食惡果，不值得同情。

劉伯溫的另一篇〈食鮐〉的寓言故事，有這樣的看法。司城子（人名）有位擔任馬官（圉人）的兒子，有一天，馬官的兒子吃了河豚中毒而死，馬官沒有哭泣，司城子就問他說：父親與兒子之間有愛嗎？馬官說：怎麼會沒有愛呢？司城子說：「既然有愛，你的兒子死了，你為什麼不哭，這是什麼原因呢（然則爾之子死而弗哭，何也）？」馬官回答說：「我聽說，死生有命，知命的人不會隨隨便便地去送死，河豚是有毒的魚，吃了它可是要人命的，這可是無人不知的，但一定要吃了去死，這是為了貪圖一時的口腹之欲而輕視自己的生命，這樣的兒子，不是我的兒子，所以我不哭（死生有命，知命者不苟死。鯸鮐毒魚也。食之者死，夫人莫不知也。而必食之以死，是為口腹而輕其生，非人子也。是以弗哭）。」

司城子滿臉傷心地嘆息說：「貪圖賄賂的危害豈不是跟吃河豚一樣嗎？當今那些奔走鑽營的人，無非是一些貪圖一時之快的重口腹之徒，但是他們永遠不知道為何馬官不痛哭自己兒子的道理，太可悲了（好賄之毒，其猶食鯸鮐乎！今之役役者，無非口腹之徒也，而不知圉人之弗子也，甚矣）！」這些立委，明知不可為而為之，見利忘義，貪贓枉法，以身試法，如今因貪欲而入獄，實在令人不勝唏噓與無奈。

這次立委爆發史上最大的集體收賄案，被收押禁見的立委三黨都有，甚至連黨主席都牽涉其中，真是令百姓嘆為觀止，反應的或許只是國會腐化冰山一角而已。這是臺灣最大的悲哀，立委若淪為財團的犬馬，那就不能代表正常的民意，「自作孽，不可活」，個別立委的收賄行為當然要負法律責任，但政風之敗壞，各政黨都有責任，特別是全面執政的民進黨。「清廉執政愛鄉土」一直以來都是民進黨的口號，蔡英文總統身兼執政黨黨主席，最好能回應老百姓的民意要求，順勢整頓吏治，則國家甚幸！

原文刊載於二〇二〇年八月十日《蘋果網路論壇》

【高雄心聲】十五年磨一劍，陳市長加油吧！

二〇一八年高雄市長選舉，藍綠激戰，最後由國民黨的市長候選人韓國瑜拿下八十九萬兩千五百四十五票，勝過民進黨候選人陳其邁的七十四萬兩千兩百三十九票。二〇二〇年六月六日韓國瑜被高雄市民以九十三萬九千零九十票罷免，韓國瑜成為我國選舉史上首位被罷免的直轄市長，市長必須補選，歷經兩個月的高雄市長補選，八月十五日選舉結果，陳其邁拿到六十七萬一千八百零四票當選，陳其邁成為臺灣史上第一位因前任市長被罷免而補選上的地方行政首長。陳其邁二度參選，終於如願當選市長，一圓市長夢！他昨天宣示就職，正式就任高雄市長。

二〇一八年陳其邁從黨內脫穎而出代表民進黨參選高雄市長。不料事與願違，遇「韓流」風暴逆轉選情，藍軍氣勢如虹，民進黨無法力挽狂瀾，終究讓陳其邁與高雄市長一職擦肩而過。陳其邁一直沒有忘情市長，他曾多次公開表示「高雄是他一生懸命的故鄉」，今年六月，韓國瑜被罷免，陳其邁接受民進黨徵召投入補選，終於如願以償當選高雄市長，他從當年的「代理市長」終於成為「民選市長」，已歷經十五年，真是十五年磨一劍。

陳其邁出生於基隆，從小在高雄長大，他少年得志，一九九五年首次參選高雄市北區立法委員就當選，是該屆最年輕當選人，年僅三十一歲。二〇〇五年二月高雄市長謝長廷轉任行政院長，行政院核定由陳其邁代理高雄市長，創下臺灣史上最年輕的直轄市長紀錄，那年他才四十一歲。當時的陳水扁總統還稱他是「未來的市長」，有規劃讓他直攻二年後的市長選舉之意。無奈，當年八月發生高捷泰勞暴動事件，他為負責而請辭，代理市長七個多月即黯然下臺，算是命運捉弄，無緣參選高雄市長。二〇一八年十一月二十四日陳其邁競選高雄市長落敗，到二〇二〇年八月十五日拿下六十七萬票，其間闊別一年九個月，陳其邁「東山再起」捲土重來，成功地奪回市長寶座。為什麼稱為「東山再起」，你知道嗎？

《世說新語》記載了這個故事。謝安，字安石，出身士族，與王羲之是好明友，經常在會稽東山遊覽山水，吟詩作文，在當時士大夫階層中名望很高，但是他性情恬淡，寧願隱居東山，不喜歡做官，有人推薦他當官，他上任一個月就不想幹了，辭了官職，帶了家人隱居東山。當時在士大夫間傳著一句話：謝安不出來做官，怎麼對得起天下蒼生呢（安石不肯出，將如蒼生何）？一直到四十多歲，謝安才出來做官，擔負國家重任。因為謝安長期隱居在東山，所以後人把重新出來做官或者比喻失敗後重新崛起稱為「東山再起」。

有一回，王羲之曾告訴謝安的妻舅劉尹說：我們一定得共同推薦安石。劉尹回答說：「如果安石在東山立志做官，我將和天下的人一同推舉他（若安石東山志立，當與天下共推之）。」（《世說新語・賞譽》）。所以謝安的「東山之志」是指在東山立志，出來為天下百姓做事。陳其邁說：高雄是他一生懸念的地方，他的「高雄之志」，如今獲得東山再起的機會，他的政治抱負，為高雄市民打拚的決心，終究得以實踐。

「松下問童子，言師採藥去。只在此山中，雲深不知處。」這首〈尋隱者不遇〉的詩，大家都可以朗朗上口，但作者是賈島，可能很多讀者不知道。賈島與韓愈是同時的唐朝詩人，他自小家中貧寒，出家為僧，法號「無本」，後來受教於韓愈，並還俗參加科舉，但屢舉不第。他內心充滿著懷才不遇之感，他有一首〈劍客〉的詩：「十年磨一劍，霜刃未曾試。今日把示君，誰有不平事。」大意是說他以十年的光陰，慢工細活地磨練出一把寶劍，劍刃閃閃發光，有如冰霜，但卻未曾試過它的鋒芒，今日他要把這把利劍亮出來給你看，若是誰有不平之事，我必為其效力。這首詩賈島有豪情壯志，將自己比作磨礪了十年的寶劍，看看有哪位大人能夠拿去派上用場，只可惜賈島無機遇，致使他始終未能施展其才華。

陳其邁從二〇〇五年代理市長到之二〇二〇年當選補選市長，足足經過了十五年，幸運的是，陳其邁刻苦磨礪十五年，終於精心磨製出一把銳利寶劍，如今終於得到高雄市民的認同，從今天開始，他將把這把利劍拿出來，實踐興利除弊的政治抱負給高雄市民看看。他在就職演說即強調要跟時間賽跑，所以接下來要「捲起袖子，立刻上工」，十足表現了劍客要實踐宏誓大願的決心和壯志。

賈島是中國文學史上有名的苦吟型詩人，有「詩奴」之稱。他與韓愈之間有一個非常有名的「推敲」的故事。傳說有一天，賈島去拜訪友人李凝，訪友不遇的賈島作了一首詩〈題李凝幽居〉：「閒居少鄰並，草徑入荒園。鳥宿池邊樹，僧推月下門。過橋分野色，移石動雲根。暫去還來此，幽期不負言。」他騎著一頭毛驢，在思索第四句「僧推月下門」時，總感到有一字不妥，一直在琢磨這個「推」字用得不好，覺得「敲」字效果會更好，還用手做出推和敲的動作，正想得出神的時候，沒想到驢子衝撞了韓愈的儀仗隊。韓愈知道原委後，非但沒有責怪賈島，還幫他決定用「敲」字比較好。韓愈笑著說：寺院夜晚，大門就關上了，能推得開嗎？夜半寂靜無聲，如果用敲字，會平添一絲音色，在夜半聽見敲門之聲，更襯出周遭的幽靜，收到「鳥鳴山更幽」的效果。於是流傳下來的這首詩，「推」就改為「敲」字；而「鳥宿池邊樹，僧敲月下門」這一聯就成了膾炙人口的名句。而「推敲」這個詞也成了有名的典故留傳至今；後人也用推敲來比喻反覆考慮字句是否恰當。

從「代理市長」到「民選市長」，陳其邁等待了十五年，如今十五年磨一劍，終於有機會可以一展身手，但只有兩年四個月的任期，如何「兩年拚四年」，實踐競選時的政見與承諾；如何在有限的時間交出亮麗的施政成績單，讓市民有感；如何面對更高規格的檢驗與市民的期待；陳市長的挑戰才正要開始，陳市長說「我準備好了」，我們就拭目以待，陳市長加油吧！

原文刊載於二〇二〇年八月二十五日《蘋果網路論壇》

【鬼月禁忌】中元節大拜拜，所為何來？

九月二日是農曆七月十五日中元節，中元節普度拜拜是臺灣人一年一度的大事，每到這一天，各地都會舉辦普度的儀式來祭祀祖先，繼而普度祭祀孤魂野鬼，你知道中元節的由來嗎？

根據道教的說法，道教全年的盛會分為三次（合稱三元），農曆正月十五日是上元節，七月十五日是中元節，十月十五日是下元節。而這三天分別是三官大帝的誕辰，三官大帝就是天官大帝、地官大帝及水官大帝，三官大帝在道教中的地位是僅次於玉皇上帝的神祇。

道教宣稱天官大帝能為人賜福，地官大帝能赦免亡魂之罪，水官大帝能為人解除厄運，民間在中元節這天有祭拜地官大帝的儀式，祈求地官為亡魂赦罪，但祭拜時，其實是三官一齊拜的，也就是俗稱的「拜三界公」。

巧的是佛教也在農曆七月十五日舉行「盂蘭盆」法會，「盂蘭盆」是梵語，意思是「救倒懸」，佛陀教民眾在七月十五日以百味五果供養佛祖與僧人，以所得的福報來解救七世父母在陰間倒懸之苦，迴向現生父母身體健康，故稱為「盂蘭盆」會。

佛教有地獄的觀念，佛經記載，地獄有十殿，每殿各有一個閻羅王，負責審判亡魂，賞善罰惡，合稱「十殿閻羅王」，十殿閻羅王之上，有一位地藏王菩薩，有一天，地藏王菩薩見到師子如來佛，羡慕祂法相莊嚴，就問祂怎樣修行才能如此？師子如來佛說：需普度六道眾生，方能成佛。於是地藏王菩薩發下宏願「他要普度眾生，使地府幽魂全部都自罪業苦惱中解脫，自己才要成佛登天」。可惜，世間人都太容易犯罪，地獄亡魂愈來愈多，因此地藏王菩薩，至今仍是菩薩，未能成佛。

農曆七月又稱鬼月，中國古代傳說七月初一地獄大開鬼門，俗稱「開鬼門關」。陰間的鬼魂會被釋放出來，有後人祭祀的鬼魂回到家中神主牌接受香火供養，無主孤魂就四處徘徊找東西吃，因此人們會在七月舉行普度的祭祀儀式，這就是中元普度。這個普度的祭祀儀活動，就是為亡魂減輕罪業，增加冥福，希望好兄弟得到安撫，別降災惹禍。臺灣俗稱「孤魂野鬼」為「好兄弟」，因此中元普度就稱為「拜好兄弟」。直到七月底，眾鬼才被召回地獄（關鬼門關），這正是地藏王菩薩的恩德。

鬼究竟是什麼模樣，它的長相與習性究竟如何，不得而知。民俗傳說人的陽氣盛，鬼怕人而刻意地避著人，因此活見鬼的人很少。韓非有一篇〈畫鬼最易〉的文章，大意是說有一客人為齊王畫畫，齊王問他說：畫什麼東西最難？客人答說：狗和馬最難畫。齊王又問：那畫什麼最容易？他說：畫鬼最容易。狗與馬這些動物是每個人都知道，早晚都會在眼前出現，不可能畫得很相像，所以難畫，而鬼則是沒有形體，不會出現在人們面前，所以很容易畫（鬼魅最易。夫犬馬，人所知也，且暮罄於前，不可類之，故難。鬼魅，無形者，不罄於前，故易之也）。

這文章明示鬼怪無形，沒有人確實看到過，所以無論怎麼畫都可以，旁人無從指責。相反的，狗與馬是實際存在的動物，連三歲小孩都看得出來，所以難畫。既然鬼是無形的，鬼話當然是不真實的，有些人時常說些主觀、脫離實際的言論，就如同畫鬼一樣，無從檢驗，就讓他們去胡說八道，當作鬼話連篇吧！

我們平常罵人貧窮為「窮鬼」，「窮鬼」真的實有其人，而且並不是真的窮。傳說高陽氏是顓頊（五帝之一）之子，既為帝王之子，怎麼可能窮呢？但是他喜歡穿破的衣服與吃粥，真像我們俗稱的「好額人（有錢人）乞丐命」，時人稱他為「窮子」，元月的最後一天死於巷中，後人遂於這一天祭送他，稱為「送窮鬼」日。

唐宋古文八大家之首的韓愈寫過一篇文章叫〈送窮文〉，這篇文章記述文章的主人翁（韓愈）一生被五個窮鬼纏身，使他一生困頓。這五個窮鬼，老大名叫智窮，腦袋笨笨的鬼，剛直傲慢，不懂圓滑，做事方正，不忍心傷害善良的人；老二名叫學窮，做學問不急功近利，追求深奧隱微的哲理，掌握天地微妙變化的關鍵；老三名叫文窮，文章寫得怪怪奇奇，不流行於當世，只能用於自娛；老四名叫命窮，面容醜陋，內心卻很美麗，獲利總是在眾人之後，受責卻總是在眾人前頭；老五名叫交窮，與朋友真誠相待，為朋友掏心掏肺，人家卻把他當作仇敵看待。

這五個窮鬼各司其職，掌管著主人的命運，讓韓愈受盡苦難，做官不得志，於是主人決定把這五個窮鬼送走，不料五個窮鬼異口同聲地說：我們要忠心耿耿地跟著你，雖然我們讓你不合於世，但卻能幫助你獲得百世千秋之名。最後主人若有所感悟，不但沒有送走窮鬼，反而無奈地拱手稱謝，垂頭喪氣地邀請五個窮鬼坐到上座。這篇文章名為「送窮」，實則是「留窮」。韓愈借此文發抒了抑鬱不得志的憤慨，真是一篇千古奇幻之文，特在鬼月的中元節摘要，與讀者分享。

中元節是中華文化很重要的節日之一，因為在鬼月，所以有許多的禁忌需要遵守，但它所包含的普度眾生的大德善心，是優秀的傳統文化，不全然是迷信。今年是庚子年，歷史的紀錄告訴我們，每當年分運行到庚子這一年，自然災害變多，突發事件頻頻，震動世界的大事件也容易發生在這一年，我們現在正在面對動盪的一年，面對空前的國際變局，大家更要保持虔誠的心，準備好拜拜用品，對鬼神保持心虔意恭，祭拜如儀。

大家一起來拜拜，祈求全家安康，祈求臺灣平安吧！

原文刊載於二〇二〇年九月二日《蘋果網路論壇》

秋分感懷：天涼好個秋

九月二十二日是二十四節氣中的秋分，分就是半的意思，秋分這天，秋季剛好過了一半，平分了秋季，所以叫「秋分」，因為秋色正好對半均分，所以秋分也有「平分秋色」的意思。這一天，全球晝夜均分，白天和黑夜各佔十二小時，過了這一天，北半球晝短夜長（夜從今夜長）的現象越來越明顯，直至冬至達到黑夜最長，白天最短（南半球恰好相反）。

秋分也是一年中天地陰陽消長變化的轉折點，因為秋分是一年中陽消陰長的開始（秋分者，陰陽相半也），從此以後的半年，陽氣漸漸消降，陰氣慢慢增長（春分剛好相反）。秋分以後，天氣漸漸變涼，但不至於太冷（很難穿衣服），日夜溫差逐漸變大，北方的冷空氣不斷南下，與逐漸衰減的暖空氣相遇，便會產生降雨的天氣，氣溫亦會隨著秋雨的降落一天比一天寒冷，正是所謂的「一場秋雨一場寒」，對於天氣多變的現象，讀者諸君要多注意，避免著涼了。

秋分的三個物候現象是：一候雷始收聲；二候蟄蟲坯戶；三候水始涸。古人認為雷是因陽氣盛才發聲，秋分後，陰盛陽衰，因此不會再聽到夏天轟隆的雷聲，所以說「雷始收聲」；緊接著每年冬眠的蟄蟲，開始鑽進穴中，並用細土將洞口封起來，準備開始進入冬眠期，這一睡就要睡到來年春天「驚蟄」時，讓春雷給驚醒為止，牠們才會紛紛破土而出；過了秋分，降雨量減少，各地進入枯水期，河湖之水開始乾涸。

俗話說「秋風起，蟹腳癢，菊花開，聞蟹來」。雖然一年四季都有螃蟹，但秋分後的螃蟹，蟹肉結實肥美，蟹黃蟹膏飽滿，是品蟹的最佳時節。蟹是節足動物甲殼類的水產動物，古人根據蟹的特徵和習性，將蟹另取四個名字：以其橫行，則曰螃蟹；以其行聲（爬行時所發出的郭索郭索的聲音），則曰郭索；以其外骨（堅硬的外殼），則曰介士；以其內空，則曰無腸。所以螃蟹也稱「橫行介士」和「無腸公子」。

一般人看來，螃蟹的多足橫著走，有橫行霸道之意，民初的大畫家齊白石有許多畫蟹的作品，他十分憎恨國民黨的貪官汙吏，於是在一幅〈袖手看君行〉的畫上題詩說「常將冷眼觀螃蟹，看爾橫行到幾時？」這句詩，所有執政黨都要謙卑並引以為戒。螃蟹雖然橫行，但過河時，足肢行動可不一致，所以我們通常用「螃蟹過河，七手八腳」來形容手忙腳亂、雜亂無序的樣子，《西遊記》神話傳說中的海龍王手下兵將是未經訓練、雜湊而成的蝦兵蟹將，後來就用「蝦兵蟹將」來形容烏合之眾。由此看來，人們對於螃蟹好像沒有太大的好感。

但是蟹卻被美食家視為水產之王，俗話說「螃蟹上桌百味淡，一蟹壓百菜」。清初文學家張潮所著《幽夢影》說蟹為水中尤物。晚明文學家張岱在《陶庵夢憶》一書中有一篇〈蟹會〉的散文，他說：「食品不加鹽醋而五味俱全者，為蚶、為河蟹。」清代文學家李漁堪稱「蟹痴」，他一生嗜好吃蟹，每年蟹未上市，就開始儲錢，他稱為買命錢，家裡人笑他以蟹為命，從螃蟹上市之日直到斷市之時，李漁每天都要吃螃蟹，他已成為吃螃蟹中的絕頂食客，家裡還有個婢女，因辛勞操持做蟹之事，被李漁改名為「蟹奴」，李漁深諳螃蟹的滋味：「世間好物，利在孤行，蟹之鮮而肥，甘而膩，白似玉而黃似金，已造色香味三者之至極，更無一物可以上之。」

吃蟹要配酒，《世說新語》記載晉朝畢卓嗜酒如命，對他而言，有鮮美的蟹肉可食，有濃郁的酒可飲，可以浮游在一座用酒打造的池子裡，一生便了無遺憾

（一手持蟹螯，一手持酒杯，相浮酒池之中，便足了一生）。後來成語「畢卓持螯」用以比喻痛快喝酒，或藉以抒發友好、放浪的情懷。

無獨有偶，李白大詩人在其〈月下獨酌．其四〉最末四句「蟹螯即金液，糟丘是蓬萊。且須飲美酒，乘月醉高臺。」李白仿傚前人畢卓，手持蟹螯來下酒，認為其美味好比瓊漿金液的仙藥般，又將酒糟堆積成山丘像是一座蓬萊仙山，難怪李白會被封為「謫仙人」的稱號。

常常聽到「天涼好個秋」這句話，你知道這詞是誰說出來的嗎？辛棄疾，字幼安，是南宋愛國詞人，他是堅定主張抗金的主戰派，可惜南宋皇帝宋孝宗有「恐金症」，始終無法採納他的意見，讓他英雄無用武之地。他在四十二歲時被削職為民，還好他性格豪爽，離職後建立一所庭園，取名「稼軒」，並自號「稼軒居士」，表示他要像莊稼人過恬淡的居士生活。但他又不能忘懷復國大志，一種莫名的閒愁，使他寫下〈醜奴兒〉這首傳誦很廣的詞：「少年不識愁滋味，愛上層樓。愛上層樓，為賦新詞強說愁。而今識盡愁滋味，欲說還休。欲說還休，卻道天涼好個秋。」大意是說他年輕的時候，涉世未深，無法體會人生的艱難，不知什麼叫做愁，所以總喜歡跑上高樓，是為了能夠刻意找點悲秋愁緒寫進詞中，勉強自己說：那愁呀！那悶啊！隨著年歲增長，閱歷漸深，如今飽受憂患，遍嚐人生苦痛，那些不如意的事，想說卻不能說，不提也罷，不提也罷，假如真要說，就說：好一個天氣涼爽的秋天啊！

人到了像筆者這樣的中年，大概遍嚐了人生的各種苦痛亂離，愛恨情愁，這些真切深刻的愁緒，一切了然於心就好，再也沒說的必要，況且也難以言傳，要像辛稼軒「欲說還休」就好。在這秋高氣爽的秋分時節，蟹肥菊黃，丹桂飄香，讓我們忘卻人生的千愁萬恨，持螯飲酒品蟹去，此時不去，更待何時？天涼好個秋！

原文刊載於二〇二〇年九月二十二日《蘋果網路論壇》

橙黃橘綠的立冬——進入流感冒季節，在戶外也戴口罩

十一月七日是二十四節氣中的立冬，立是開始的意思，立冬節氣的到來，代表冬季的開始。

冬是終了的意思，「冬，四時盡也」，是一年中最後一個季節，到了這個季節，秋季作物大抵全部收曬完畢，收藏入庫，動物也開始藏伏避冬，準備冬眠，所以冬天有萬物收藏之意。

立冬是冬季的開始，天氣開始轉涼，《詩經》說「七月流火，九月授衣」，意指農曆七月時，火星逐漸西沉，暑熱開始減退，天氣逐漸轉涼，九月時，女子著手做冬衣。

古代在立冬之月，皇帝並有穿冬衣的儀式，昭告百姓冬天已經來了。立冬時節，北半球獲得的太陽輻射量越來越小，東北季風逐漸轉強，氣溫會開始逐漸下降，在臺灣，因為熱量會隨著氣溫的下降而從地表輻射至半空，有時會有一段時

間的溫暖舒適，天氣炎熱的感覺，所以有「十月小陽春」（農曆十月）之說。

立冬的三個物候是：一候水始冰，二候地始凍，三候雉入大水為蜃。意思是說，立冬是秋天遠離，冬天的開始，此時，水面初凝，冰尚未堅；土氣凝寒，尚未坼裂，表示立冬只是冬天的序曲。立冬過後，野雞類的大鳥因無法忍受寒冷而減少了活動，紛紛藏匿起來過冬，而在海邊卻能看到外殼與野雞紋路及顏色相似的大蛤。

蘇軾認為一年當中最美的風光莫過於「橙黃橘綠」的初冬景色，他曾寫一首詩贈送他的好友劉景文〈贈劉景文〉：「荷盡已無擎雨蓋，菊殘猶有傲雙枝。一年好景君須記，最是橙黃橘綠時。」意思是說荷花殘敗凋謝，連那像一把遮雨的傘的荷葉也枯萎了，菊花也枯萎了，但那傲霜挺拔的菊枝，仍在寒風中充滿生機。

別以為一年的好景將盡，你必須記住一年之中最好的景，是在初冬橙子已黃（金橙）、橘子剛綠的時節啊！這首詩說明初冬雖然蕭瑟冷落，但卻也是碩果累累、成熟豐收的季節。蘇軾藉著這首詩，勉勵他的好友劉景文千萬不要因青壯時光不再而意志消沉，人到壯年，其實也是人生閱歷最成熟豐富的黃金階段，更該好好把握，懂得珍惜，樂觀向上，勿意志消沉，妄自菲薄。

橘子（俗稱桔子），閩南語稱為柑仔，一般稱的柑橘是指所有柑橘屬的所有水果，包括柚、柑、橘、橙等，其中橙較大且橙皮堅密較難剝離，而橘子則較鬆軟，橘皮也比較容易剝，但均含豐富的維生素C。

橘子主要產地在長江以南，屈原在《楚辭》中有專章來稱頌橘子〈橘頌〉，說橘子是皇天后土所生的美好樹木，生長在南方楚地，生來即適應當地的水土（后皇嘉樹，橘來服兮）；橘子秉受天生堅強不移的意志，生在南國楚地（受命不遷，生南國兮）；橘子有根深蒂固，難以遷移，表現出意志的專一（深固難徙，更壹志兮）等特性。屈原稱頌其貞潔之性、品德之高可與伯夷相比（行比伯夷，置以為像兮）。屈原用橘樹與伯夷相比，並作為學習的榜樣，這是屈原詠物寄志，藉〈橘頌〉來表達自己遭讒謗卻仍守志不移的情操。

橘樹的習性只生長在南方，才能結出甘美的果實，倘若將它遷徙到北地，就只能得到又苦又澀的枳了（不能食，只能做藥材），而產生「橘生淮南則為橘，生於淮北則為枳」的情形，其實橘與枳是同科但不同屬、不同種，形態特性差別很大，現在的成語「南橘北枳」或「淮橘為枳」是用來比喻環境變化使得事物的性質也隨之改變。

這個典故是這樣說的，根據《晏子春秋》的記載：有一次齊景公派晏嬰出使到楚國，楚靈王想要藉機羞辱晏嬰，便在宴請賓客的場合，故意讓人帶著竊盜犯來到晏嬰面前，並說這竊盜犯是齊國人。楚王問晏嬰，是否齊國人生來喜歡偷盜，晏嬰於是回答說：「橘生淮南則為橘，生於淮北則為枳，葉徒相似，其實味不同，所以然者何？水土異也。今民生於齊不盜，入楚則盜，得無楚之水土使民善盜耶？」晏嬰在國際外交場合的機智反應，著實另人佩服。

元朝人郭居敬將二十四位古人孝順的故事編輯為《二十四孝》一書，以啟發教育兒童，流傳至今。其中有一篇「懷橘遺親」的小故事，不知讀者知道否？故事是說後漢人陸績，六歲時，隨父親到九江去拜見袁術，袁術拿出橘子招待他們，陸績偷偷藏了兩顆橘子在袖裡。

陸績拜別告辭時，橘子不慎從袖裡掉落在地上。袁術說：「你是來我家作客的，怎麼走的時候，要偷藏主人的橘子呢（陸郎作賓客而懷橘乎）？」陸績跪地回答說：「我的母親生性非常喜愛吃橘子，所以我想拿回去給母親嚐嚐（吾母性之所愛，欲歸以遺母）。」袁術對這麼小小的年紀，就懂得孝順感到非常驚奇。

對此，後人有一首詩頌揚道「孝悌皆天性，人間六歲兒。袖中懷綠橘，遺母報乳哺。」然而，「懷橘」雖然是為了孝順母親，但畢竟是偷竊的行為，有辱父母，不值得效法，我們應該以更合乎人情道理的方式來表達孝心才是。

俗諺說「立冬補冬，補嘴空」（用臺語唸），在臺灣的傳統文化裡有一個習俗，就是立冬要「補冬」，也就是所謂的「冬令進補」，因為古人認為立冬是秋冬之交，天氣開始寒冷，需要補充能量與營養，讓身體更強壯及在寒冷的天氣裡有禦寒的作用，同時順便犒賞一家人一整年的辛苦。

立冬補冬常見的食物有麻油雞、薑母鴨、羊肉爐等，當這些熱呼呼、香噴噴的養身料理上桌後，總會讓人食指大動。其實除了補身體外，這些料理通常也是一群朋友一起食用，也有聯絡感情之效。

不過有一點必須提醒讀者，根據筆者的研究，薑母鴨時常會有加入米酒的習慣，酒精具有血管擴張及增加血管中血液流量的功能，在飲用薑母鴨補湯後會造成血壓的變化，甚至造成短暫性的頭昏，所以建議喝完薑母鴨補湯後要休息一段時間以避免跌倒的風險，同時也可避免酒駕的問題，特別是有三高病史的朋友們。

總之，立冬後開始進入流行性感冒的季節，早晚溫差會越來越大，提醒讀者外出時，要多添加衣物，因應新冠肺炎疫情，也建議在戶外戴上口罩，除可保暖外，也可避免流行性感冒的傳染。

原文刊載於二〇二〇年十一月六日《蘋果網路論壇》

人生坎坷怎辦——杜甫四十四歲才找到工作，他如何解憂？

前兩週，最重大的教育新聞莫過於臺灣大學五天內接連發生三起輕生事件；無獨有偶，成功大學上週也發生自九月開學以來的第三起學生輕生事件。教育部長潘文忠對外說明，今年至今有七十六名各級學校學生輕生致死，去年大專院校為五十九人。

事發後，臺大及成大均緊急召開全校院系所的主管會議，研議如何動員全校多加關心學生心理健康，另一方面也加強留意是否有需要轉介到學生心理輔導中心的個案，希望亡羊補牢，避免再次發生憾事與悲劇。

杜甫是中國文學史上最偉大的詩人之一，人稱「詩聖」，為後人留下一千四百多首詩作。但是他一輩子沒考上進士，你知道嗎？杜甫，字子美，自稱少陵野老。他的曾祖父做過縣令，祖父杜審言，是初唐時著名詩人，父親杜閒曾官至司馬，杜甫從小就讀書、寫詩、練字，七歲時作了一首〈鳳凰詩〉，因家學淵源，到了十三、十四歲時，就交遊廣闊，能與當地的文人學士酬唱答和。

他的青少年時期有一段快適的生活。杜甫有文才且自負，但在二十四歲那年，參加進士的考試，卻不幸名落孫山，他只好繼續埋首苦讀，準備捲土重來，再次參加科舉考試。天寶六年（杜甫三十六歲），杜甫來到長安，剛好碰到唐玄宗詔徵各地有才之士，到長安就選，杜甫自認做了充分的準備，對應試充滿信心，誰知道主持這次考試的宰相李林甫向玄宗報告，說此次考試一個人才也沒發現，全國優秀的人才早已被錄取，野無遺賢，所以全部考生均不錄取。如果你是杜甫，你會不會痛心、悲憤、捶心肝呢？但是又能奈何呢！

杜甫的人生到此真的是一籌莫展，但是他只能忍耐，杜甫決定續留長安，等待機會。結果一等待就是四年，杜甫已四十歲時了，那年，玄宗決定祭祀玄元皇帝、太廟和天地，需要歌頌盛典的辭賦，杜甫將寫好的三篇辭賦報名參加甄選，結果真的得到玄宗的賞識，但卻沒有分發職務，說需要再接受宰相的面試才能錄用，面試的宰相也是李林甫，面試完畢，也沒公布錄取名單，直到四十四歲那年，李林甫才授一個右衛率府冑參軍的小官給杜甫，對杜甫來說，這真的太大材小用了。

杜甫坎坷多難，窮困艱辛，好在他神經足夠堅韌，屢敗屢戰，到了四十四歲時終於找到一份工作，有固定的收入。杜甫只活到五十九歲，一生懷才不遇，經歷無數挫折，亦遭喪子之痛，但也努力地活著，沒有輕生，與唐朝考上科舉的才子，如白居易、王維、杜牧、李商隱等相比，他在詩史上的成就絲毫也不遜色。

方岳是南宋的詩人，寫過兩句名言：「不如意事常八九，可與人言無二三」。人生的事，十次總有八、九次是痛苦的、不如意的，但是心裡的痛苦，可以說知心話的人，十人中也找不到兩、三人。因此能夠找到知己來談談很重要。

白居易與劉禹錫是好朋友，劉禹錫寫過〈贈樂天〉的詩，其中有「唯君比萱草，相見可忘憂」，把白居易（字樂天），比作萱草（萱草又稱忘憂草）。白居易也寫了一首唱和的詩〈酬夢得比萱草見贈〉給劉禹錫，詩的前四句「杜康能散悶，萱草解忘憂；借問萱逢杜，何如白見劉」。大意是說杜康酒可以解悶，萱草可以使人忘掉憂愁；可是萱草和杜康，怎麼也比不上白居易與劉禹錫相逢的感情深厚。

劉禹錫把白居易比作萱草，白居易把劉禹錫比作杜康（杜康是傳說中高粱酒釀酒始祖，曹操〈短歌行〉中有「何以解憂？唯有杜康」），兩人共飲可解愁。白居易與仕途坎坷、懷才不遇的劉禹錫性格相近，興趣相投，相互賞識，惺惺相惜，深切地交往。

「詩仙」李白與「詩聖」杜甫的友誼是詩史上流傳千古的佳話。杜甫與李白相識於洛陽，一見如故，志同道合，隨後相約同遊（自助旅遊）齊魯，兩人形影不離，結下了兄弟般的深厚情誼。杜甫小李白十一歲，杜甫與李白相見時，尚且青澀，杜甫對李白很傾慕，把他當成人生導師，亦兄亦友，曾寫過對李白讚美和懷念的詩，大家耳熟能詳的「筆落驚風雨，詩成泣鬼神」即是出自〈寄李十二白二十韻〉，讀杜甫與李白彼此思念所留下的詩篇，可窺知「李杜」的交情深篤，可謂生死不渝。

諸位年輕的學子朋友，人生一路春風得意是不可能的，人生難免有低潮與碰到挫折的時候，這個時候你的興趣與知心的朋友都可作為情緒的出口，不要被一時的衝動所左右而自我放棄，所謂天生我材必有用，留得青山在，不怕沒柴燒，只要有生命，就有機會、就有將來、就有希望。

原文刊載於二〇二〇年十一月二十五日《蘋果網路論壇》

人性難過金錢關——哀勞動基金弊案

勞動基金是六大基金的統稱，包括新制勞工退休基金、舊制勞工退休基金、勞工保險基金、就業保險基金、積欠工資墊償基金及職業災害勞工保護專款。截至九月底，勞動基金規模已達四・四兆元，這些基金是勞工退休後身家之所繫。勞動部為提升基金運用之效益，於二〇一四年將勞退基金監理會及勞工保險局基金運用人員整併改制為「勞動基金運用局」（勞金局），負責辦理各項基金之投資政策、資金配置、年度運用計畫、投資執行、委託經營、風險管理、稽查考核等業務及其相關法令之研擬工作。

據報載，勞金局國內投資組前組長游迺文，涉嫌於任職組長期間，動用勞動基金，配合業者拉抬特定公司的股票，臺北地檢署日前已依《貪污治罪條例》違背職務收賄等罪，將涉案「組長」聲請收押禁見獲准。臺北地方法院裁定書指出，游迺文無法交代九百多萬元資金來源，另其薪資每月約僅十萬元，每月信用卡費用竟高達十五萬到二十二萬元，並考量其所涉之罪刑是最輕本刑十年以上重罪，有逃亡之虞，因此裁定羈押禁見。勞動部也已依《公務員懲戒法》規定辦理游之停職，並移送監察院審查。本案也引出案外案，寶佳資產管理公司的投資主管邱裕元也被拘提，並以行賄及炒作特定公司股價被移送偵辦。

柳宗元寫過一篇哀憐溺死者〈哀溺〉的文章，大意是說永州的人民都會游泳（柳宗元曾被貶為永州司馬），有一天，河水暴漲，有五、六個人共乘一艘小船橫渡湘水。走到一半，船破了，其中一個人費了很大的力氣卻游不了多遠（其一氓盡力而不能尋常）。他的同伴說：「你是最會游泳的人，今天為什麼落在後面呢？」那人回答說：「我腰裡纏了一千多錢，很重，所以落後了。」同伴說：「為什麼不丟掉呢？」那人只搖搖頭，不回答。過了一會兒，那人更加疲累。已經過了河的人站在岸上大聲喊：「你真是愚蠢極了！你真是糊塗極了！生命都快沒了，你還要錢幹什麼（汝愚之甚！蔽之甚！身且死，何以貨為）？」那人還是搖搖頭，就這樣被淹死了。柳宗元對此感到悲哀，說：「如果是這樣，難道不會有大利淹死大人物的事情嗎（且若是，得不有大貨之溺大氓者乎）？」

勞退基金曾因委外代操作的投信業者涉弊而慘賠，只是這次弊案的主角是由投信業者換到官員而已。勞金局的公務員擔任著國家的官職，領著國家的俸祿，就應該為國家辦事（在其位，謀其事），游迺文身居高位，為嗜欲所誘，膽大妄為，趁負責操作勞動基金之便，竟涉賄炒股，可能涉及不法，致被收押禁見，著實可憐也可悲，正是如柳宗元所說的「愚之甚」又「蔽之甚」，為從古至今不斷上演的「人為財死，鳥為食亡」增添一例而已。游員貪圖私利而失去理智的行為，真是利令智昏，自作自受。

規模高達四．四兆元的勞動基金，是勞工退休後過日子的老本，過去十年的弊案都是投信經理人炒股、自肥。如今負責操作的勞金局官員卻爆出勾結外部人員牟取私利的弊案，其實大多數公務員都兢兢業業在崗位上服務，這樣的害群之馬只有非常少數，但卻可能讓其他人也被懷疑。

雖然此次是勞動部主動發現異狀，並向廉政署檢舉，但勞動部的內控、稽核及風險控管機制是否失靈，已然引發社會大眾的關切。大凡貪官汙吏開始貪的時候，數額可能都不多，但一旦嘗到了甜頭，就不會罷手，而且越貪越多，越多越貪。本案幸好及時被發現，是不幸中的大幸，但，是否有其他的弊端，仍有待檢調繼續偵辦，這樣不只可以給國人和社會一個交代，也好讓勞工朋友可以放心。

原文刊載於二〇二〇年十一月三十日《蘋果網路論壇》

【大寒時節梅花撲鼻香】臺灣防疫須政府與民眾一起克服

元月二十日是二十四節氣中的大寒，大寒是一年的最後一個節氣，因為天氣寒冷到了極點，可以說是一年中最冷的季節，所以叫做大寒。這個節氣的到來，意味著一年即將結束，農曆新年已在倒數計時。

這個時節，華人都會大掃除，把家裡的門窗洗刷乾淨，把地板打掃清理得一塵不染，把家裡整理得煥然一新，讓環境與心情除舊布新一番，以迎接新年。這時辦年貨的人潮也逐漸開始到處可見，可以感受到新年的腳步趨近，大家準備迎新春過新年。

大寒有三個物候：第一候是雞乳，意思就是到了大寒節氣，雞感受到陽氣有所回升，母雞開始孵蛋，孵出雛雞；第二候征鳥厲疾，意思是說蒼鷹等猛禽盤旋於高空之中尋找獵物捕食，這是由於天寒地凍，地面食物不多，過冬前所準備的食物食用的差不多了，不得不出來捕食，所以征鳥變得猛厲而迅疾；第三候水澤腹堅，大寒的最後一候，是一年的最後五天，水中的冰會加厚，整個凍起來，冰層更為堅實。

今年的大寒農曆剛好是十二月初八日，也就是臘八節，臘八節是祭祀祖先及神明的日子。《禮記》中有「臘者，接也，新故交接，故大祭以報功也。」意思是說臘月是辭舊迎新的日子，所以要舉行盛大的歲終祭祀活動向祖先報告一年的收穫情形，並藉此祈求來年豐收、吉祥、平安。因為臘祭在十二月舉行，因此就把冬春、新舊交接之際的農曆十二月稱為「臘月」。

據傳釋迦牟尼因見眾生為了生、老、病、死、愛別離、怨憎會、求不得、五陰熾盛等八苦所煎熬，毅然捨棄王位而在菩提樹下，靜觀思維，苦行六年後，在十二月八日悟道成佛，因此佛教稱此日為「佛祖成道紀念日」。釋迦牟尼在六年的苦行中，每日僅食一麻一米，後人不忘他得道前所受苦難，便於臘八日吃粥以作紀念，俗稱「臘八粥」。

臘八粥就是以糯米、紅豆、綠豆、桂圓、紅棗、花生、蓮子、榛子、核桃、葡萄乾、松仁等八種當年收穫的新鮮糧食煮成的「甜稀飯」，也叫做「福德粥」、「福壽粥」或「佛粥」。顧名思義，就是吃了能增福增壽。在大寒的日子裡，吃來既可口又營養又暖和，可以防禦風寒，古人的養生哲學，若要不生病，就是要根本的從防禦風寒做起。

這一陣子，連續幾波寒流來襲，越冷越開花的梅花也跟著綻放，十分浪漫，許多賞梅景點吸引遊客前去觀賞。中國人鍾愛梅花是有原因的，不僅因為它是一年裡最早開花（國曆元月）的花卉（傳春報喜）；也因為梅花不畏嚴寒，經嚴冬冒霜雪而花開益盛。它的花潔白，具清香、淡而有味；它孤獨而不與百花爭春，有高潔之美，深受文人雅士喜愛，自古以來與松、竹並稱為「歲寒三友」。梅花代表了堅忍不拔、奮勇當先、堅貞高潔的精神。

王安石有一首詠〈梅花〉的詩：「牆角數枝梅，凌寒獨自開。遙知不是雪，為有暗香來。」前兩句寫的就是牆角的幾枝梅花冒著嚴寒，傲然獨自盛開。後兩句寫的是遙遠望去就知道紛飛的是潔白的梅花而不是雪花，因為梅花飄來了淡雅的幽香。王安石對梅花的韻致可謂刻畫無遺。

梅花也有浪漫冶艷的一面。「梅花妝」的故事，你聽過嗎？相傳南朝宋武帝劉裕之女壽陽公主，有一天與宮女們在御花園賞梅花，玩累了，壽陽公主躺臥在含章殿簷下小寐一會兒。微風吹來，殿旁的梅樹有一朵梅花正好落到了壽陽公主的額頭上，留下了五瓣淡紅色梅花瓣的痕跡，但擦拂不去，使得壽陽公主變得更嬌柔嫵媚。宮女紛紛爭相仿效，以梅花印額，稱作「梅花妝」。傳到現在，「壽陽梅妝」就用以形容女孩子妝扮得體。

現在正是梅花盛開的時節，讀者們可別忘了抽空去欣賞梅花，並體驗一下「壽陽梅妝」的感覺。宋朝的林逋（字和靖），隱居於杭州西湖，在山上種了許多梅花，在湖邊養了許多白鶴，二十年不入市塵，只以讀書、植梅、畜鶴自娛，別人問他為何不結婚，他說：梅花就是我的妻子，白鶴就是我的兒子。因他沒有妻子沒有兒女，因此有「梅妻鶴子」之稱。的確，古代的許多隱逸之士都過著躬耕樂道、梅妻鶴子、不問世事的鄉居生活。

新冠肺炎疫情去年一月首先在中國武漢爆發，世界衛生組織在去年三月十一日宣布新冠肺炎全球大流行，一年來疫情在全球不斷蔓延，截至元月二十日早上的資料統計，全球目前累計確診病例有逾九千六百一十六萬例，累計死亡案例約逾兩百零五萬例。累計確診病例以美國居首（約兩千四百二十三萬例），其次為印度（約一千零五十八萬例）；死亡案例也是以美國居首（約四十萬例），其次為巴西（約二十一萬例）。

臺灣累計確診病例有八百六十八例，死亡案例七例。全球每百萬人口病例約為一萬兩千三百二十四人，美國約七萬四千一百六十人，英國約五萬四百三十一人，臺灣則僅三十六人。這些資料顯示，在這一年的抗疫歷程，臺灣的防疫比起世界各國算是相當成功。但成功不是偶然憑空而來，而是政府與百姓共同努力克服困難的成果。

為防範新冠肺炎疫情，確保臺灣防疫安全，臺灣在二〇二〇年一月二十日即成立中央流行疫情指揮中心，嚴格執行防疫措施，這次新冠肺炎疫情之初，指揮中心就迅速反應，落實了許多疫情期間的因應措施，並透過例行記者會對外說明疫情發展，呼籲民眾提高警覺，降低民眾恐慌，此外實名制口罩配發措施、增設口罩生產線，在這次防疫中也都扮演重要角色。

政府並整合資料庫系統，經由大數據分析與科技的應用建立預警系統，找出高感染風險族群，讓疫情追蹤更加容易。也因為防疫的成功，讓臺灣的經濟受疫情的衝擊不像全球主要經濟體那般嚴重，人民的日常生活也沒受多大影響。

唐朝名僧黃檗禪師有則〈上堂開示頌〉：「塵勞迥脫事非常，緊把繩頭做一場。不經一番寒徹骨，焉得梅花撲鼻香。」意思是擺脫世俗事務，沒那麼容易，必須拉緊繩子，費力氣大幹一場。不經過一番徹骨寒冷，那有梅花會撲鼻芳香。

臺灣防疫的成功是政府與民眾經過一番勤苦的耕耘（寒徹骨）才有的收穫（撲鼻香）。經受「寒徹骨」與最終獲得「撲鼻香」，已包含佛教「因」與「果」的提示，黃蘗禪師「不經一番寒徹骨，焉得梅花撲鼻香」說出了人對待一切困難險阻應擇取的正確態度。

近日部立桃園醫院醫護染疫事件擴大，新冠疫情對民眾風險會增加，相信藉由過去一年的經驗，我們應該可以克服即將面臨的疫情困境。在這大寒時分，祈求天佑臺灣人民！

原文刊載於二〇二一年一月二十日《蘋果網路論壇》

從包青天典範對照出石木欽案之司法驚奇

前公務員懲戒委員會委員長石木欽任最高法院庭長、臺灣高等法院院長期間接受商人翁茂鍾招待，遭司法院移送監察院彈劾後，爆出司法界眾多「石木欽們」。司法院與法務部上週公布調查報告，司法院認定二十名法官有違失，法務部認定檢察體系十一名、調查局九名，合計共四十名現、前任司法人員捲入風暴，其中七名法官、一名檢察官擬移送監察院審查，三名檢調人員分案調查是否涉刑責。本案涉及層級之高、範圍之廣前所未見，扯出的司法弊端被司法界人士視為史上最大醜聞，震驚社會各界。

康熙皇帝時，任職吏部的任伯安，利用職務之便，私自收集抄錄各級官員的隱私，包括施政失誤、貪贓收賄、飲酒嫖妓等，從而將這些資料編輯成冊，取名為《百官行述》，這些資料其實就是官員的小辮子，可作為要脅官員的手段，諸王子在爭奪繼承權的過程，都想取得《百官行述》以控制官員，聽命自己。後來四阿哥（就是後來的雍正皇帝）知道了，就利用各種手段將《百官行述》弄到手並把它燒掉，康熙皇帝得知此事，廢掉太子，避免了一場宮廷鬥爭。

佳和集團董事長翁茂鍾有筆記的習慣，遭扣押的筆記有二十七本之多，鉅細靡遺記載了他與「石木欽們」球敘、宴飲、買股、送禮等「吃吃喝喝」之情事，此次牽涉其中的人數多達兩百多人，情節嚴重者四十人，就連承審與翁相關的涉訟案件也不避嫌，吃相難看，重創臺灣司法體系形象，被監察委員形容為現代版的「百官行述」。

包拯是一位知名度極高的歷史人物，他在宋仁宗年間曾任開封知府，把開封府治理得井井有條，他以公正廉明、明察秋毫、鐵面無私聞名於世，被後世稱為「包青天」或「包公」，還被奉為司法之神。《宋史・包拯傳》記載包拯在朝為官時剛正果決，有人犯案，即使是皇親國戚、達官顯宦對他都畏懼三分（立朝剛毅，貴戚宦官為之斂手，聞者皆憚之）。他為人不苟言笑，難得見到他綻露笑容，就像難得見到黃河之水澄清一樣（人以包拯笑比黃河清）。孩童婦女無人不知其名，叫他「包待制」。京師的人都傳頌說：不用賄賂卻能申冤，只有閻羅包老（關節不到，有閻羅包老）。

包拯秉性峻峭嚴直，厭惡官吏對待百姓苛刻，待人講究敦尚樸實，雖然嫉惡如仇，卻始終以忠恕待人。與人交遊不隨便苟合世俗，也不巧言令色取悅別人；平日不接受親友請託推薦，因此老友親鄰都斷絕了往來（與人不苟合；不偽辭色悅人；平居無私書，故人親黨皆絕之）。雖然官位顯貴，衣服、器用、飲食一如沒做官時那麼簡樸（雖貴，衣服、器用、飲食如布衣時）。

包拯曾對他的家人說：後代子孫在朝為官，如有犯貪污受賄之罪的，在世時，不得回來老家進我家門，死了也不得歸葬包家祖墳；不遵從我志向的，不是我的子孫。筆者六年前曾到過河南開封包公祠一遊，目睹牆上掛了一幅包拯的家訓：「後世子孫仕宦，有犯贓濫者，不得放歸本家，亡歿之後，不得葬於大塋之中；不從吾志，非吾子孫。」讀之令人敬佩、敬仰，可以感受那種浩然正氣，值此司法人員爆發醜聞之際，今再讀之，真是感慨系之。包拯在家訓後面簽字時又寫道，希望他的兒子包珙把家訓文字刻在石碑上，把石碑立在堂屋東面的牆壁，從而教導後世子孫。

人民對司法人員的操守與風紀本來就有更高的道德標準、要求與期待，包拯受人仰慕的是他的品格和作風：剛正不阿、嫉惡如仇、執法公正、生活儉樸，

「包公」已成為「清官」的代名詞，他的形象永遠活在老百姓的心目中，司法人員應以包拯為典範，學習包拯的精神，為國家和人民打造更清明、公平、公正的司法環境。

司法院長許宗力已宣布涉及與富商翁茂鍾往來者「全面清查」，三個月內完成報告，為這樁司法史上大醜聞，展現了司改的決心；行政院長蘇貞昌日前也表示政府已全面啟動調查，如有違法亂紀就嚴查、嚴辦，希望趕快將真相向國人清楚交代。二位大院長的決心，都是小老百姓們的熱切期待，我們都拭目以待。

原文刊載於二〇二一年一月二十五日《蘋果網路論壇》

金牛年興旺、鴻運犇騰——有關牛的幾則典故

再過兩天就要迎接農曆新年，家家戶戶都在準備過年。二〇二一年是辛丑年，生肖屬牛，按照五行（金、木、水、火、土）來分，今年的牛年是屬於金牛年。先來說個「夫人屬牛」的故事，搏讀者諸君一笑。

這個笑話出自清朝康熙、雍正時期石成金所編著之笑話集《笑得好》，大意是說有個縣官要過生日，當地老百姓聽說他屬鼠，大家就湊錢鑄了一隻金鼠，送給他祝壽，縣官看了非常高興，就對里民說：「你們知道我夫人的生日嗎？快到了，她比我小一歲，屬牛的，鑄的金牛要厚重實惠，牛肚不要鑄成空的（汝等可知我夫人生日，只在目下，千萬記著夫人是屬牛的，更要厚重實惠些，但牛像肚裡，切不可鑄空的）。」這笑話把貪官的形象諷刺得非常深刻（也太直白了）。還好，十二生肖中沒有象，如果有象，這位官員肯定說我夫人屬象，希望得到一頭黃金大象了。下回聽人說「夫人屬牛」就知道在暗示「金牛」了。

在十二生肖中，就屬牛最有功於人類，人類文明從漁獵階段進入農耕的階段，就是靠牛發揮了功效，有了耕牛，農夫的耕作才可事半功倍，因此在農業社會裡，幾乎農家都會養牛，以備耕田之用，農家對自己所養的牛也都愛護備至，當成是自家的一分子，因此牛對主人有危難時，也一定不顧自身安危，挺身相救。

紀曉嵐《閱微草堂筆記》中有一篇〈贖牛護主〉的故事，大意是說在河間縣以東四十里的護持寺村，住了一位姓于的農夫，家境小康，有一天晚上，他外出，有幾個盜賊從于家的屋簷上跳下來，用巨斧把門乒乒乓乓劈開（揮巨斧破扉，聲丁丁然）。當時家裡只有婦女和小孩，嚇得趴在床上，只有聽天由命而已（伏枕戰慄，聽所為而已）。緊要關頭，家裡所飼養的兩頭牛，怒吼著跳進來，奮起犄角與盜賊搏鬥，兩頭牛越鬥越勇，盜賊們紛紛受傷，狼狽而逃（奮角與盜鬥，梃刃交下，鬥愈力。盜竟受傷，狼狽去）。

這兩頭牛為什麼這樣護主？故事是這樣的：河間縣在乾隆癸亥年間，曾鬧了大饑荒，許多養牛人家買不起草料，多半把耕牛賣給了屠宰場，這兩頭牛被趕到屠宰場門前的時候，哀傷地趴在地上吼叫，不肯往前走（畜牛者不能芻秣，多鬻於屠市）。于某見了，心生憐憫，脫下身上的衣服當了錢，把這兩頭牛贖過來，自己忍著寒冷把牛趕回家。所以，牛在危急時刻，誓死報效主人，自有一定的道理（于見而心憫，解衣質錢贖之，忍凍而歸，牛之效死固宜）。自古以來，儒家、佛教經史中的因果故事，不勝枚舉，我們應從這些因果故事體會修善得福，造惡殃禍的因果循環，這也是〈太上感應篇〉所說「禍福無門，惟人自召」的道理。

從小到大，我們常聽到「對牛彈琴」這個成語，到底牛懂音樂嗎？相傳戰國時代有位音樂家名叫公明儀，擅長彈琴。有一天，他看到一頭十分健壯的牛，低頭吃草，他就撥動琴弦，對這頭牛彈了一曲高雅的〈清角之操〉的琴曲。但是牛好像沒聽到什麼似的，仍然低著頭，只顧吃草，若無其事（伏食如故）。公明儀看到牛毫無反應，就想，我彈的樂曲如此美妙，為什麼牠置若罔聞呢？後來，他領悟到：不是牛沒有聽到琴聲，而是那種高雅的琴曲，根本不合牠的耳朵，當然聽不進去（不對味）（非牛不聞，不合其耳矣）。於是公明儀改變曲調，時而彈出蚊子、牛虻嗡嗡的叫聲，時而彈出小牛犢離開母牛以後尋找母牛的悲鳴聲（轉為蚊虻之聲，孤犢之鳴）。這時牛立刻搖著尾巴、豎起耳朵，來回走動，聽得入神（即掉尾奮耳，蹀躞而聽）。這就是「對牛彈琴」的典故。

「對牛彈琴」原來有瞧不起「牛」的意思，但彈琴的人，也要注意對象，自鳴高雅其實也是不符實際的。這其實也是告訴我們一個道理：牛也是能懂音樂的。你只要彈牠聽得懂的曲子給牠聽，牠也能成為你的知音。因此，我們平常講話要看對象，對懂貝多芬的人，不要在他面前講微積分，否則就是「對牛彈琴」。特別是我們從事教育的工作者，更應該明瞭：即使對於牛，也得考慮彈什麼曲調，牛才會聳起耳朵來聽，更何況面對的是學生呢？對於認識能力稍低的人，不應該用高深的理論或語言來講解，不應該對他們有輕視之意，應該要因材施教，能近取譬，用他們聽得懂的方式來教育他們，這樣才可得到學生的敬愛，收到教育的效果。

每年春節，總統府都會公告當年生肖的春聯及紅包袋供給民眾索取，蔡英文總統今年春聯的題字是「牛轉乾坤」，象徵把握機遇，克服挑戰，牛年開展新格局的吉祥祝福。臺灣有句諺語「做牛著拖，做人著磨」，意思是說牛是用來拖犁、拖車的，做人就要接受磨練，磨練是一個過程，充滿著明日的希望。過去一年，臺灣在面對疫情的恐慌中，也是在接受不斷的磨練，我們目前遇到的新冠肺炎疫情，民眾只要配合政府的防疫措施，大家共同努力，不要恐慌，相信一定可以扭（牛）轉乾坤，戰勝疫情，大家平安度過疫情。

「犇」這個字今年會很紅，它是「奔」的異體字，就是「奔跑」的意思。一頭牛已經力大無窮，更何況三頭牛佇立前進，力量之大當然不言可喻了。最後祝福《蘋果日報》的讀者們牛年興旺、財運犇騰、好運犇來、犇向幸福！

原文刊載於二〇二一年二月九日《蘋果網路論壇》

防疫如作戰　需慎終如始

疫情嚴峻，臺灣本土新冠肺炎確診病例從五月十五月起，每天都超過一百例，昨天新增兩百六十六例本土確診病例，另有校正回歸本土個案八十九例，死亡個案有十例，疫情爆發以來，已累積超過六千八百個本土確診病例，自疫情爆發以來累計死亡人數九十七名，使國內整體新冠肺炎死亡累計達一百零九例，致死率達 1.2%。

臺灣歷經近十八個月成功的防堵新冠肺炎，將疫情阻絕於國門之外，曾經寫下全球最久的零確診連續天數，及連續多個月都沒有出現本土病例紀錄，防疫相當成功，是新冠肺炎防疫的模範生，獲國內外媒體肯定與報導。臺灣在迅速實施領先全球的防疫措施後，於去年夏天解除防線，民眾得以參加演場會、宗教及旅遊活動，大型餐聚及聚會活動乃日益頻繁，出門戴口罩的民眾越來越少，民眾對疫情當前已然忘記謹慎。

五月二十一日美國的《時代雜誌》（Time）在標題為「虛假安全感及小私密茶，如何攻破臺灣的COVID-19的疫情防禦（How a false sense of security, and a little secret tea, broke down Taiwan's COVID-19 defenses）」的報導指出，臺灣民眾因沉溺於虛假安全感，加上萬華茶室爆發疫情，破壞了臺灣自豪的疫情防線。因此文章直接批評臺灣防疫「吹牛」破功，直言「打破全世界最吹捧的COVID-19防線只需要一杯私密茶（All it took to break down the world's most vaunted COVID-19 defense was a little secret tea）」。用字遣詞算重了點，但文中提到臺灣最大問題是整體社會鬆懈下來的心態。彭博新聞社也曾用自滿（complacency）來形容臺灣的政府及社會過於鬆懈的心態。

劉基寫過一篇名為〈句章野人〉的寓言文章。大意是說句章縣有位農夫，用草遮蔽家中的籬笆時，聽見「唶唶」的叫聲，撥開草，發現一隻野雞就把牠給抓了，於是他把草照原樣再鋪好，希望能再次抓到野雞（翳其藩以草，聞唶唶之聲，發之而得雉，則又翳之，冀其重獲也）。隔天，他又前往籬笆處，又聽到如昨天的唶唶之聲，撥開草卻是一條毒蛇，他的手被蛇咬傷而死（明日往聆焉，唶唶之聲如初，發之而得蛇，傷其手以斃）。

劉伯溫評論說：「這件事看起來很小，但足可作為大事的鑑戒。天下有意想不到的福氣，但也有意想不到的災禍，一般人不知道禍與福是相互依存相互轉化的，他們常把僥倖的事當作如常來看待（天下有非望之福，亦有非望之禍。小人不知禍福之相倚伏也，則徼幸以為常）。所以在他們得意的時候，常發生失意之事，這是因為他們只看到有利的一面，而看不到隱藏在後面的危害，只知道存在而不知道消亡的緣故啊（是故失意之事，恆生於其所得意，惟見其利而不見害，知存而不知亡也）。」

臺灣的防疫，上半場可說是可圈可點，在全球疫情嚴峻之際，臺灣守住疫情，民眾生活正常，經濟維持運作，而且也協助國際友人，捐助口罩、醫材等防疫物資，受到國際肯定與關注，成就有目共睹，「Taiwan can help」更成為國人的驕傲。目前爆發社區傳播疫情，可能始於航空公司貨機組人員染疫擴散（華航諾富特事件），或因心存僥倖，未能及時處理，英國變種病毒肆虐國際時，又放鬆警惕，疫苗採購進度緩慢，以致疫情爆發後持續嚴峻，中央流行疫情指揮中心不得不宣布自五月十九日起至六月十四日止提升全國疫情警戒至防疫第三級，守住一年多的臺灣，如今卻面臨首波重大疫情。

這應驗老子所說的「民之從事，常於幾成而敗之。慎終如始，則無敗事」。意思是說人們做事，通常是在快成功的時候失敗，事情將要完成時，也要能像剛開始一樣謹慎，才不會發生失敗的事。防疫這件事是很複雜的，從一開始態度就一定要步步為營，不可驕矜於起步時的輝煌成就，以為成功近在咫尺，唾手可得，意念因此就鬆懈了。老子也說「千里之行，始於足下」，比喻任何事情的成功，都是由小而大逐漸累積成的，從一開始的細微小事就要注意，以防患於未然。天下畢竟沒有這等便宜之事，成功只歸於「慎終如始」的人。

《時代雜誌》在前提的報導文中有一句話筆者非常同意：「臺灣對抗新冠肺炎最有效的武器也許就是臺灣的人民（The most effective weapon in fighting COVID-19 may be its people）。」現在疫情蔓延，唯有同島一命，團結抗疫，大家發揮臺灣人民優良的公民素養，做好自我防衛。保護好自己，也就是保護好家人，推而保護社區民眾，大而全體國民。但願天佑臺灣，早日脫離疫情！

原文刊載於二〇二一年五月三十一日《蘋果網路論壇》

多方取得疫苗已成民意主流？如何在最短時間內全民接種成最大挑戰

新冠肺炎疫情狂燒不退，自去年一月二十一月出現第一例本土個案以來，累積截至六月六日已突破一萬例本土病例，死亡人數累計兩百六十例，致死率達2.4%，超過全球平均的2.16%。日本無償贈送臺灣一百二十四萬劑AZ疫苗，已在四日下午運抵桃園機場，在臺灣最需要疫苗的時刻，日本政府友情贈送這批疫苗，對臺灣可說是久旱逢甘霖的一場及時雨。

中央疫情指揮中心指揮官陳時中頻表感謝，他說這一百二十四萬劑是這幾波疫苗到貨最大的一批，對疫情非常有幫助。蔡英文總統也發表談話：「疫苗取得不簡單，對用心付出的人，不需要酸言酸語，團結力量才會大。」

去年新冠肺炎在日本造成重大疫情，導致日本醫療機構缺口罩等醫療防疫物資，臺灣曾於去年四月二十一日由中華航空公司將捐贈給日本政府的兩百萬片口罩運抵日本。這次臺灣疫情延燒之際，日本政府及時伸出援手，贈送臺灣一百二十四萬劑疫苗，真是患難見真情，符合臺灣與日本有危難時互相支援的傳統。

由《詩經・大雅》中「投我以桃，報之以李」，可見回報這個觀念歷史久遠，這是人與人之間純樸和諧的處事方式，用在國與國之間的關係亦然，臺灣在日本有災難時，都及時伸出援手，這次臺灣疫情嚴峻，日本也及時送我們疫苗，兩國之間的相互贈答也算是禮尚往來。這些疫苗對臺灣目前疫情的改善可能只帶來少許幫助，但最重要的是背後代表了日本和臺灣的善意與友誼。

臺灣之前因為疫情管控得宜，對於疫苗接種不甚積極，今年三、四月AZ疫苗開打，從醫護到民眾接種意願都不高，每天至多接種一千多劑，五月以前接種率約僅1%。不料，五月十五日以後爆發社區感染以來，疫情持續嚴峻至今，新冠肺炎疫苗的需求，已從乏人問津變成一劑難求，截至六月五日，民眾接種人次約七十萬，僅佔全國人口數（覆蓋率，coverage）約僅3%。

群體免疫（herd immunity）是指人群中接種疫苗或自然感染，體內產生抗體，減少病毒的威脅，形成群體免疫力，讓社區變得安全。擁有免疫力的個體比例越高，易感個體與感染者接觸的機率就越小，社區就越安全。以疫苗接種來說，至少要全人口 60-65% 接種才能得到群體免疫效果。臺灣如果以每人施打兩劑，全國人口疫接種率達 65% 計算，臺灣至少約需三千萬劑疫苗。臺灣目前已進口三批共七二・六六萬劑的 AZ 疫苗，十五萬劑莫德納疫苗，加上日本贈送的一百二十四萬劑 AZ 疫苗，總計約兩百一十一萬劑，離需求還很遠，因此「什麼時候才打得到疫苗？」已成為國人最關切的問題。

接種疫苗是解除新冠肺炎病毒威脅的利器，以色列目前約有 60% 的人口完全接種，民眾施打第一劑疫苗十四天後，新冠肺炎的確診率持續下降，目前疫情獲得有效控制；美國白宮在五月二十六日宣布已有半數美國人至少接種一劑疫苗，新增確診病例數也呈穩定下降，拜登總統也宣稱目標在七月四日國慶日前，讓 70% 美國人完成疫苗接種；英國至少接種一劑疫苗的人民近六成，英國政府預計在七月底前所有成年國民都可以完成第一劑接種。相較於世界其他各國，臺灣疫苗接種率遠遠落後，如何在最短時間內，讓全民接種疫苗是臺灣目前最大的挑戰。

疫苗現在是國際戰略物資，而臺灣的國際外交處境艱困，取得疫苗之路困難重重，使得政府在揭露採購資訊時格外謹慎。很幸運的，美國聯邦參議員達克沃絲、蘇利文及昆斯昨天（六日）早上訪臺，並宣布美國將贈送臺灣七十五萬劑疫苗作為援助，數量對防疫雖然是杯水車薪，但我們非常感謝美國將臺灣納入疫苗捐贈計畫的首波國家之一，這是臺灣抗疫取得疫苗的另一場「及時雨」。

自上週起，許多民間團體及私人企業，紛紛加入採購疫苗行動行列，期望讓更多疫苗進入臺灣，有一項《NOWnews》之民意調查，詢問是否支持民間團體協助政府取得足夠疫苗防疫？結果有84.6%的人選擇「支持，臺灣現在的疫苗不夠，能多方取得疫苗是好事」；15.08%選擇「不支持，應該由政府統籌」，筆者籲政府應順應民意與民間團結合作，積極主動輔導，給予民間及企業團體彈性空間，努力協助去爭取購買疫苗，只有盡快買進疫苗，才能避免大量死亡及重創經濟，也只有這樣才能加速群體免疫的目標，讓臺灣早日脫離疫情、人民早日回歸正常生活。

原文刊載於二〇二一年六月七日《蘋果網路論壇》

MEMO

毓馨文集

國家圖書館出版品預行編目（CIP）資料

毓馨文集 / 楊俊毓著 . -- 初版 . -- 高雄市：巨流圖書股份有限公司，2022.01
面；　公分

ISBN 978-957-732-649-2（平裝）

1.CST: 言論集　2.CST: 時事評論

078　　110021992

著　　者　楊俊毓
責任編輯　鍾宛君
封面素材　邱慧芬
封面設計　黃士豪

發 行 人　楊曉華
總 編 輯　蔡國彬

出　　版　巨流圖書股份有限公司
80252 高雄市苓雅區五福一路 57 號 2 樓之 2
電話：07-2265267
傳眞：07-2233073
e-mail: chuliu@liwen.com.tw

編 輯 部　10045 臺北市中正區重慶南路一段 57 號 10 樓之 12
電話：02-29222396
傳眞：02-29220464

劃撥帳號　01002323 巨流圖書股份有限公司
購書專線　07-2265267 轉 236

法律顧問　林廷隆律師
電話：02-29658212

出版登記證　局版台業字第 1045 號

巨流

ISBN / 978-957-732-649-2（平裝）
初版一刷・2022年1月
初版二刷・2022年2月

定價：270 元